Das Buch

›Wir Menschenbummler‹ ist ein verblüffend offenes und persönliches Buch, in dem die Autorin ihren eigenen Werdegang mit dem weiten Feld der Psychotherapie verknüpft. Gleichzeitig enthüllt es ein bemerkenswertes Stück deutscher Psychologiegeschichte: Als Psychotherapeutin hat Eva Jaeggi die Entwicklung unserer heutigen Psychokultur seit Mitte der fünfziger Jahre hautnah und aktiv miterlebt. Engagiert und selbstkritisch spürt sie Unzulänglichkeiten und Mängel der unterschiedlichen Therapiemethoden auf und kommt schließlich, für den Leser miterlebbar, zu einem integrierten psychotherapeutischen Konzept: Elemente verschiedener Methoden können bei unterschiedlichen Patienten und in unterschiedlichen Phasen der Psychotherapie sinnvoll sein; wesentlich und unabhängig von der Methode ist die Beziehung zwischen Therapeut und Patient. Das Buch ist gedacht für Menschen, die grundsätzlich an Psychotherapie interessiert sind, aber auch für Berufskollegen, denen es vielleicht helfen kann, das Methodenchaos in ihrem Kopf ein wenig zu entwirren.

Die Autorin

Eva Jaeggi, geboren 1934, ist seit über zwanzig Jahren psychotherapeutisch tätig. Seit 1978 ist sie Professorin für Klinische Psychologie an der Technischen Universität Berlin. Sie veröffentlichte u. a.: ›Auch Fummeln muß man lernen‹ (1978), ›Kognitive Verhaltenstherapie. Kritik und Neubestimmung eines aktuellen Konzepts‹ (1979), ›Wenn Ehen älter werden. Liebe, Krise, Neubeginn‹ (mit Walter Hollstein, 1985).

dtv dialog und praxis

Eva Jaeggi:
Wir Menschenbummler
Autobiographie einer Psychotherapeutin

Deutscher
Taschenbuch
Verlag

Ungekürzte Ausgabe
Februar 1986
Deutscher Taschenbuch Verlag GmbH & Co. KG,
München
© 1983 Beltz Verlag, Weinheim und Basel
ISBN 3-407-85028-X
Umschlaggestaltung: Boris Sokolow
Gesamtherstellung: C. H. Beck'sche Buchdruckerei,
Nördlingen
Printed in Germany · ISBN 3-423-15014-9

Inhalt

Dieses Buch verdankt sein Entstehen dem Lektor Roland Asanger, dem ich rein zufällig einen kurzen, sehr persönlich gefärbten Aufsatz ›20 Jahre Verhaltenstherapie – was habe ich daraus gelernt?‹ schickte. Als er mir vorschlug, diesen Aufsatz zu einer ›Therapeutischen Biographie‹ auszubauen, beherrschte mich zuerst eine Palette sehr widersprüchlicher Empfindungen. Das Ganze würde mir Spaß machen, aber: könnte ein solches Unterfangen nicht als allzu eitel angesehen werden? Sind meine eigenen Erfahrungen repräsentativ für die meiner Berufs- und Altersgruppe? Vor allem aber: wem sollte ein solches Buch wohl nützen? Für wen ist dieses Buch eigentlich geschrieben?

Ich denke, daß dieses Buch lesbar geschrieben ist. Das heißt: dieses Buch ist nicht nur für Berufskollegen (Psychologen, Sozialarbeiter, Ärzte) gedacht, sondern auch für Menschen, die an Psychotherapie ganz allgemein interessiert sind.

Ich kann mir Leser vorstellen, die selbst eine Therapie machen oder machen wollen; solche, die bei Freunden oder Partnern einen therapeutischen Prozeß mitverfolgen (und vielleicht auch darunter leiden); und schließlich solche, die es von Berufs wegen häufig mit sehr schwierigen menschlichen Situationen zu tun haben (z. B. Lehrer, Erzieher, Juristen) und deshalb öfters in die Lage geraten, eine Therapie zu empfehlen.

Was aber könnte ihnen dieser Bericht nützen? – Am leichtesten kann ich diese Frage beantworten, wenn ich mir Berufskollegen vorstelle. Viele werden sich, wie ich denke, in diesem Buch wiederfinden. Es handelt mehr von Problemen als von ihren Lösungen; es wirft mehr Fragen auf, als es beantwortet; es gibt einen Überblick über viel Wirrwarr in einem Berufsfeld.

Es ist trotzdem – ich hoffe, daß ich dies durchsichtig machen konnte – nicht von Resignation und Ärger über meinen Beruf getragen. Ich kann mir daher vorstellen, daß Kollegen, die sich gerade in einer Phase der Resignation und Hilflosigkeit befinden, eine gewisse Beruhigung erfahren: auch andere fühlen sich also unsicher, ängstlich, von der Vielfalt an Möglichkeiten und den oftmals nur geringen Erfolgen bedrängt. Die Antwort darauf *muß* also nicht nur Resignation sein, sondern kann auch übergehen in ein lustvolles Akzeptieren neuer Denkmöglichkeiten, einem Ausprobieren neuer Stile – so lange, bis man seinen »eigenen« Weg etwa gefunden hat. Das Buch kann vielen Berufskollegen vielleicht auch zeigen, daß die Antworten, die man jeweils findet, von den vorfindbaren gesellschaftlichen Verhältnissen nicht abzutrennen sind und daß man sich dessen nicht schämen muß. Sie sind natürlich auch abhängig vom Lebensalter – und auch dies ist nichts Nachteiliges! Der systematische Umgang mit Menschen, den Psychologen und Pädagogen als ihr Berufsfeld ansehen, ist etwas Lebendiges, ist ein Prozeß – und nicht ein festgefügtes Gebäude von Normen und Regeln, die für alle Ewigkeit abgeleitet wurden von der hehren (und fiktiven) Institution »Wissenschaft«. Es geht um immer neue, zeitbedingte Interpretationen des menschlichen Lebens – abgewandelt durch die individuelle Biographie von »Experten« und »Laien«. Dies alles versuche ich aufzuweisen.

Vielleicht findet mancher Kollege, der gerade ob des Chaos in seinem Kopf am Resignieren ist, in diesem Buch ein wenig Trost und Mut.

Wie aber sieht es mit den sogenannten ›Laien‹ aus? Eine befreundete Juristin, die mein Rohmanuskript gelesen hat, machte mich im Hinblick auf ihre eigene Berufsgruppe nachdenklich.

»Viele Juristen«, so meinte sie, »sind von der inneren Logik und Konsistenz des juristischen Denkens meist sehr überzeugt – ungeachtet der Tatsache, daß ihre eigenen Urteile von Instanz zu Instanz immer wieder geändert werden. Diese Juristen werden womöglich durch Ihr Buch noch mehr als bisher im Glauben bestätigt, daß in einem solch zerfahrenen Feld, wie es Psychologie und Psychotherapie sind, wohl kaum Hilfe gefunden werden kann bei der Beurteilung oder Heilung von Straftätern.«

Ähnlich kann ich mir Ärzte vorstellen (und ich kenne solche), die mit großer Sicherheit ihre Medikamente gegenüber der unsicheren Psychotherapie anpreisen und – so unlängst passiert, als wir Klienten für ein Kopfschmerzprojekt gesucht haben – behaupten, 99 Prozent all dieser »sogenannten« psychosomatischen Beschwerden wären durch physische oder medikamentöse Einwirkung zu beheben. Auch hier scheinen wir Psychologen recht schlecht dazustehen.

Wo immer sich ein Berufsfeld auftut, in dem vorwiegend mit und am Menschen gearbeitet wird, ist die Unsicherheit bei den Redlichen allerdings sehr groß. Natürlich kann man sein Berufsfeld als Popanz aufbauen: dann wimmelt es darin von »abgesicherten wissenschaftlichen« Theorien, aus denen angeblich Handlungsanleitungen »abgeleitet« werden; die Erfolgsquoten sind hoch; Mißerfolge werden erfolgreich bagatellisiert.

Durch Verdrehungen, Simplifizierungen und sehr viel Weglassen kann man auch Sozialberufe (im weitesten Sinne) glattkriegen wie ein Stück Holz auf der Hobelbank. Wo aber bleiben die Späne?

Nun, immer wieder kommt einer, der sie aufsammelt, dem staunenden Publikum und den empörten Kollegen präsentiert, und fortan als »Nestbeschmutzer« gilt. Auch ich muß mich wohl hier einreihen. Ich tue dies zwar nicht ungern – würde mich aber dabei unwohl fühlen, wenn ich nicht extra betonte, daß mein Mißtrauen dem Popanz *aller* Berufsfelder der geschilderten Art gilt. Wer auf diesen Gebieten Sicherheit vortäuscht, nimmt sich und seinen Beruf nicht ernst genug.

Ich bin aber der festen Meinung, daß der Psychologe trotz aller Unebenheiten seines Berufes meist dort überlegen ist, wo es um die Beurteilung und Korrektur komplexer zwischenmenschlicher Handlungen und Persönlichkeiten geht. Denn der Psychologe hat gelernt, diejenigen Daten, auf denen sein Urteil basiert, systematisch auszuwählen, sorgfältig auf ihre innere psychologische Konsistenz hin zu überprüfen, im Lichte seiner reflektierten Erfahrung mit Menschen in verstehbare Zusammenhänge zu bringen, eigene Gefühle zu gebrauchen u. ä. m. Dies ermöglicht dem Psychologen oft ein gerechteres und adäquateres Umgehen mit verwirrten Menschen, als dies z. B. dem Juristen möglich ist. Daß dies alles schwerwiegende Fehler nicht ausschließt: wer möchte das leugnen?

Dies gilt auch für die therapeutische Arbeit im engeren Sinne. Ich möchte mit diesem Buch nicht darlegen, daß der Beruf des Therapeuten eigentlich *keiner* sei, daß eventuell nur ein wenig gesunder Menschenverstand genüge, um zu therapieren. Ich möchte allerdings darlegen, daß jeder Psychotherapeut, der sich in einem »abgesicherten« Feld wähnt, von seiner Profession noch wenig versteht.

Denn: wem ich mit dieser Veröffentlichung recht gerne einiges am Zeuge flicken will, sind natürlich hartgesottene Sektierer – Vertreter *aller* Therapieschulen. Ich verleugne nie, daß meine Erfahrungen einseitig, subjektiv und von Kenntnislücken umgeben sind. Ich traue mir trotzdem – nach 20 Jahren Berufserfahrung als Beraterin/Therapeutin – ein einigermaßen klares Gesamturteil über das Feld der Psychotherapie zu. Darin aber haben, meiner festen Überzeugung nach, solche Menschen nichts zu suchen, die sich für eine alleinseligmachende Methode entschieden haben oder solche, die ohne eigene Erfahrung eine bestimmte Methode radikal ablehnen oder verurteilen.

Das Chaos der Methodenvielfalt besteht nicht nur in meinem Kopf. Es ist begründet in der Vielfalt von individuellen und gesellschaftlichen Situationen. Auch dieses Buch könnte beitragen, das Chaos zu entwirren.

Eva Jaeggi

Ein neugieriges Kind

Warum bin ich eigentlich Psychotherapeutin geworden? Als ich sechzehn Jahre alt und voll vielfältiger Interessen für alles »Geistige« war (darunter verstand ich ein Gemisch aus philosophischen Schriften, Moraltheologie, Rilkes Gedichten und Thomas Manns ›Doktor Faustus‹), wurde ich eines Tages – bei einem philosophisch-besinnlichen Spaziergang durch den Wiener Wald – von einem *Wort* heimgesucht. Dieses Wort hieß »Psychotherapie« und war zweifellos (ähnlich den unbemerkten Tagesresten im Traum) eine Lesefrucht, die mir zuerst fast gar nichts besagte. Meine spärlichen Griechischkenntnisse bemühend und vage assoziierend, überlegte ich, was dieses Wort alles beinhalten könnte und kam dabei zu vermutlich einigermaßen richtigen Schlußfolgerungen. Dies mag heutigen Ohren merkwürdig klingen, wobei allerdings zu bedenken ist, daß einem Ende der vierziger, Anfang der fünfziger Jahre meist niemand bekannt war, der sich mit Dubiositäten wie »Verrückten« und »Therapeuten« herumschlug. Es war also lange vor der Zeit des Psychobooms. Freud und die Psychoanalyse waren im ÖVP-regierten konservativen Österreich im öffentlichen Bewußtsein vergessen oder verdrängt, zumindest so weit, daß eine interessierte Sechzehnjährige auf ihren Streifzügen durch Bibliotheken und Buchläden offensichtlich nicht ohne weiteres auf ihn stieß.

Das Wort aber ergab einen Sinn; ja, es ergab fast eine Offenbarung: denn augenblicklich war mir klar, daß ich dies – genau dies – zu meinem Beruf machen wollte.

Warum aber wollte ich das? War ich so frühzeitig schon vom »Helfersyndrom« besessen, daß ich jenen armen (mir nicht offiziell bekannten) psychisch Gestörten (die ich natürlich »Verrückte« oder »Irre« nannte) zu Hilfe eilen wollte? Ich erinnere mich nicht daran, je in irgendwelchen anderen Zusammenhängen (schon gar nicht in solch frühem Alter!) von übermäßigem

Helferdrang besessen gewesen zu sein, weshalb ich glaube, daß ich für mich das Motiv des »Helfenwollens« bei der Berufswahl ausschließen kann. Eher schon wäre das zweite der üblichen Motive – Bewältigung meiner eigenen Probleme – zu vermuten gewesen. Denn Probleme hatte ich mit 16, 17 Jahren natürlich in ausreichendem Maße. Dem Stil der Zeit sowie meiner Herkunft entsprechend konnte ich meine Probleme allerdings nicht in irgendeine »Psychosprache« kleiden, sondern vorwiegend in eine katholisch-existentialistisch-literarische. So beschäftigten mich natürlich nicht meine »Beziehungskisten«, sondern die Frage, ob ich im »Du« Gott begegnen könne und welche Form von Freundschaft es wohl sein müsse, die solch hohen Anforderungen genügen könne; vielerlei depressive Verstimmungen wiederum wurden als »ewige Suche des abendländischen Geistes« nach der »Übereinstimmung von Glauben und Wissenschaft« interpretiert und nicht etwa als Folge meiner Komplexe, ich sei häßlicher als andere Mädchen. Ich wollte vor allem über die ewig gültige Frage »was denn ›der Mensch‹ eigentlich sei« über mich selbst Aufschluß gewinnen und hatte natürlich das Wort »Selbsterfahrung« nicht zur Hand. Zu erfahren »was es mit Menschen auf sich habe«: das war zweifellos ein frühes und tiefes Interesse, das mich sicher keine Zeit meines Lebens verlassen hat. Man könnte auch einfach sagen: ich war immer schon außerordentlich neugierig gewesen.

Dies hatte begonnen in der durch Kriegswirren beengten Wohnung meiner Kindheit, wo ich – nur durch einen Vorhang getrennt vom Wohnzimmer – auf meiner Schlafcouch lag. Die Erwachsenen (meine Großfamilie mit vielen halb konspiratorischen Besuchern, die ununterbrochen über das Ende der schrecklichen Hitler-Zeit spekulierten) sprachen abends über vieles, was man damals einem 7-, 8-, 9jährigen Kinde niemals mitgeteilt hätte; neben den politischen Gesprächen waren das: verborgene Liebschaften, Ehebruch, sexuelle Schwierigkeiten, rätselhafte Verhaltensweisen und deren vermutliche Motive – kurzum, die ganze Palette erwachsener Probleme wurde vor mir ausgebreitet und natürlich vor allem von den Frauen der Familie seziert und analysiert. Speziell meine Mutter hatte ein besonderes Geschick, Beziehungen und Motiven nachzugehen, ihre Verflochtenheit mit äußeren Umständen zu reflektieren und Menschen nach psychologischen und moralischen Kriterien einzuordnen. So wußte ich schon frühzeitig über ein befreundetes Paar Bescheid, bei dem sich »nach der Hochzeitsnacht so gut wie nichts mehr getan« hatte, obwohl es doch »eine Liebesheirat« gewesen sei und vor der Eheschließung »alles geklappt« habe; möglicherweise bestünde dabei eine Beziehung zur Tatsache, daß die junge Frau in eben jener Hochzeitsnacht im Andenken an eine frühe unerfüllte Liebe so sehr hätte weinen müssen? Oder war eher doch an eine körperlich bedingte Impotenz des Mannes zu denken?

Die geschiedene Tante Irmi, deren Mann General gewesen war, sollte sich angeblich nun haufenweise mit einfachen Soldaten einlassen: hatte wohl diese sexuelle Gier den Herrn General das Weite suchen lassen?

Und wie gut, daß Tante Maria solch ein demütiges und ein wenig beschränktes Frauchen war: sonst könnte sie mit ihrem schillernd-pfauenhaften Künstlergatten sicher nicht solch eine gute Ehe führen ...

Dies also waren die Gespräche, die ich hinter meinem Vorhang voll Inbrunst belauschte – ankämpfend gegen schwere Lider und dauerndes Gähnen. Manchmal – bei besonders prekären Themen – ertönte die besorgte Stimme meiner Mutter: »Schläfst du, Eva?« – was von mir mit tiefen und regelmäßigen Atemzügen beantwortet wurde.

Ich glaube, daß diese spezielle Atmosphäre meines Elternhauses wesentlich dazu beigetragen hat, mich für andere Menschen zu interessieren. Frühzeitig verfügte ich über sehr viel mehr Begriffe zur Beschreibung und Erklärung menschlichen Verhaltens als etwa über solche zur Erklärung technisch-naturwissenschaftlicher Sachverhalte.

In der Pubertät bildete dies den sozusagen »gewachsenen« Hintergrund für meine philosophisch-literarischen Interessen sowie für die Bearbeitung meiner eigenen Probleme mit dem Erwachsenwerden.

Dabei wurde mir langsam klar, daß weder rein philosophische noch die üblichen psychologischen Lehrbücher mir Aufschluß geben konnten über das, was ich »eigentlich« wissen wollte.

Ein Blick in mein Tagebuch bezeugt, daß ich nichts zurückinterpretiere: ich versuchte schon damals mit allen möglichen Mitteln auszudrücken, was dieses Interesse »eigentlich« war: ich wollte die »Nahtstelle« finden zwischen der »Philosophie« (die ich zuerst vor allem in Form dickbändiger Philosophiegeschichten zur Kenntnis nahm) und der »Psychologie« (was sich damals wohl noch auf Hubert Rohrachers Lehrbuch der »Allgemeinen Psychologie« beschränkte). Um diese »Nahtstelle« herum habe ich viele Begriffe gewunden und wußte doch nie so recht auszudrücken, warum mir weder die herkömmliche Form der Darstellung philosophischer Lehrgebäude noch die mir bekannte halb empirische, halb spekulative Psychologie, die ich in der Schule (dieses Fach wurde bei uns gelehrt!) zur Hand bekommen hatte, zur Stillung meines Wissensdurstes genügte. Was den Menschen denn nun »im Innersten zusammenhält«, eröffnete sich mir dadurch nicht. Es muß nur kurze Zeit später gewesen sein, als mir eine sehr bewunderte Philosophielehrerin einen hilfreichen Begriff an die Hand gab. Er hieß »Philosophische Anthropologie« und allein die Tatsache, daß es diesen Begriff gab, verhieß mir ein Zauberland. Offenbar *gab* es also auch die Sache, mit der ich mich beschäftigen wollte, und als ich gar A. Gehlens Buch ›Der Mensch‹ sowie ›Wesen und Formen der Sympathie‹ von Max Scheler zur Hand bekam, wußte ich, daß die Mühsal des Lesens einen Sinn haben würde.

Dies alles war nun auch der Hintergrund meiner Faszination vom Wort »Psychotherapie«: halb ahnend erkannte ich, daß ich noch mehr als bisher über das, was den Menschen »im Innersten zusammenhält«, erfahren würde, wenn ich ihn in seiner kranken und gestörten Form kennenlernen könnte. Ich wollte Psychotherapeut werden nicht so sehr, um zu *heilen*, sondern: um meiner Erkenntnis weiterzuhelfen. Es war die Fortsetzung meiner kindlichen Neugierde hinter dem Vorhang.

Daß dies damals das wesentlichste Motiv meiner Berufswahl war, erklärt auch die Hartnäckigkeit, mit der ich mich weigerte, zur Erfüllung meines Traumes etwa Medizin zu studieren.

Der Bekanntenkreis meiner Eltern bestand vorwiegend aus Juristen und Medizinern. Letztere hegten natürlich eine gründliche Verachtung für die neue und windige Wissenschaft der Psychologie, von der man annehmen konnte, daß sie sich vielleicht sogar etwas vom Kuchen der Psychiatrie abschneiden wollte. Ich wurde also eine Weile lang bearbeitet, doch auf jeden Fall Medizin zu studieren – Psychologie könne ich ja in Gottes Namen (und wenn es dort wirklich etwas zu lernen geben sollte) noch daneben machen. Sogar der damals bekannte Kinderpsychiater Prof. Asperger wurde bemüht, um mir meinen dickköpfigen Wunsch auszureden. Er lud mich freundlicherweise ein, in eine seiner »therapeutischen Spielstunden« als Betreuerin zu kommen, was ich zuerst auch voll Neugierde tat. Ich konnte aber den quengelnden und brüllenden Kindern, mit denen ich Dominosteine legen oder ›Mikado‹ spielen sollte, nichts für meine Interessen abgewinnen. Da mich eben nicht der Helferdrang beseelte und ich nicht recht verstehen konnte, was diese Kinderschar in eine psychiatrische Klinik gebracht hatte (sie erschienen mir alle »normal lästig«), erfuhr ich bei diesen (wenigen) Hospitationen gar nichts. Natürlich war auch nicht einzusehen, weshalb man ein langes und langweiliges Medizinstudium auf sich nehmen mußte, nur um dann mit Kindern ›Mensch ärgere dich nicht‹ zu spielen.

Der Hinweis, daß man eben als Psychiater sehr viel bessere Berufschancen habe, fruchtete gar nichts. Ich wollte keine »Berufschancen«, ich wollte einerseits Bücher wie die von Gehlen, Scheler und V. Frankl lesen, gelehrt diskutieren und besser verstehen; andererseits aber wollte ich auch meine vielen Freunde und Freundinnen »tiefer« verstehen lernen. Ich galt zwar als eine Art Bücherwurm – aber doch als ein sehr kontaktfreudiger. Stundenlang tratschte ich mit Freundinnen aus der Schule und meiner Jugendgruppe über die Eigenarten anderer – fast immer allerdings bezogen auf einen religiös-philosophischen Kontext. So etwa konnten wir über ein etwas starr-religiöses, aufrichtiges und ein wenig unliebenswürdiges Mädchen z. B. sagen, daß »Gott sie wohl als Mann und Priester« gedacht habe und lange darüber sinnieren, warum er ihr die Prüfung auferlege, als Frau seinem Willen dienen zu müssen – wodurch sie doch höchstens als Nonne in die Mission geschickt werden könne, was uns allen als sehr viel weniger ehrfurchtgebietend erschien.

Die Merkwürdigkeit einer anderen Freundin war noch schwerer zu deuten: sie hatte einen »Sündenwahn«, weshalb sie häufig noch rasch vor der Sonntagsmesse verzweifelt nach ei-

15

nem Beichtvater suchte, um die Kommunion nicht unwürdig nehmen zu müssen. Man munkelte, daß sich dieser Wahn um irgendetwas »Unkeusches« rankte, das sie in ihrer Kindheit getan hatte. War sie nun vielleicht ein wenig verrückt? – Oder war das eine Prüfung, die Gott ihr auferlegte? – Oder war es ein Zeichen ganz besonders fein gearteten Gewissens, wodurch sie vielleicht gar zur Heiligkeit bestimmt war?

Unsere Kategorien im Bereich der Psychopathologie waren etwas wirr. Trotz des hervorragenden »Einfalls«, mich der Psychotherapie zu widmen, konnte ich mir darunter doch gar nichts Rechtes vorstellen, er lag ja noch in einer ganz und gar »untherapeutischen« Zeit.

Eine jugendliche Verwandte war von ihrer Mutter einer pubertären Zwangsneurose wegen zum Psychiater gebracht worden – jener hatte auch offensichtlich in beschwichtigender Weise eine Stunde lang mit Mutter und Tochter »gesprochen«, worauf sich während der nächsten paar Tage das Symptom so sehr verbesserte, daß nichts mehr unternommen werden mußte. War das aber schon »Therapie«? Ich überlegte sehr oft (horchte jene Verwandte auch – ohne Ergebnis – immer wieder aus!), welchen Zauber er wohl verwendet haben konnte? Später wurde mir klar, daß jener Psychiater der berühmte (damals schon sehr alte) Otto Pötzl gewesen war; ich vermute, daß er das Symptom durch sein bekanntes »Charisma« und seine Lebensklugheit »hinweggezaubert« hat. Jedenfalls berichtete die Mutter jenes Mädchens, wie sehr ihr seine Zuversicht geholfen habe. Er hätte etwa gesagt: »Wissens' – jetzt könnt' ich Ihnen viel Geld abknöpfen für eine Psychotherapie ... Aber bei so jungen Mädeln, da gehn und kommen die Gefühle, ganz so ernst sollt' ma' das auch nicht nehmen! Gehn's heim und sind's ein bißl nett mit ihr ... es wird schon alles gut werden!«

Im anderen Fall eines offensichtlich ernsthaft gestörten jungen Mannes aus unserem Bekanntenkreis war eine »jugendliche Hebephrenie« diagnostiziert worden. Der Arzt schlug eine Einweisung in die Klinik vor. Die resolute und warmherzige Mutter jenes Jünglings aber wehrte sich dagegen. Ich erinnere mich noch sehr gut der Schilderung ihrer hausgemachten »Therapie«: sie habe ihren Sohn (den Ältesten von fünf Geschwistern) einfach immer mit sich herumgeführt – ihm den Besen in die Hand gedrückt, wenn sie saubermachen mußte, mit ihm gemeinsam Bohnen geschnitten oder einkaufen gegangen – und das den ganzen Tag hindurch, vom Aufstehen bis zum Schlafengehen. Bald hätte der verwirrte Junge auch sein gespenstisches Reden und Phantasieren wieder aufgegeben, wäre zuerst recht still und abwesend gewesen und hätte nach und nach wieder Interesse an der Umwelt gezeigt. Nach einigen Wochen konnte der »Hebephrene« wieder die Schule besuchen. Vor nicht allzu langer Zeit habe ich ihn wiedergetroffen – als üppig verdienenden Zahnarzt mit Luxuspraxis in der Innenstadt.

Was sollte ich aus diesen Erzählungen schließen? Offenbar genügte es bei psychischen Störungen, ein wenig gesunden Menschenverstand zu haben – Therapeuten brauchte man dazu nicht. Ich kannte natürlich auch niemanden, der eine Therapie machte. Eine Ausnahme war ein jüngerer Mann aus Innsbruck, den wir während der Sommerferien kennenlernten; er war Psychologe, sehr religiös und machte offenbar irgendeine katholische Psychoanalyse. Zu meinem großen Erstaunen erzählte er uns, daß längst nicht alle psychisch gestörten Menschen neurotisch seien; häufig sei auch der Teufel im Spiel, weshalb er sich seine therapeutische Arbeit öfters mit der eines guten Exorzisten teile. Obwohl ich der katholischen Welt damals noch kaum entwachsen war, hielt ich dies denn doch für puren Unsinn und buchte – als aufgeklärte Weltstädterin – die ganze Angelegenheit (wohl nicht zu Unrecht) zu Lasten der berüchtigten dumpfen Tiroler Klerikalität.

Nein, im damaligen Österreich der Nachkriegszeit war über Psychotherapie wirklich nicht viel zu erfahren – noch heute wundere ich mich, daß ich meinen Wunsch danach überhaupt entwickeln konnte.

Den Abschluß jener ersten Phase meines Psychotherapiewunsches bildete eine staatlich verordnete Berufsberatung. Dabei hatte ich nun (nachdem wir in der Klasse vier oder fünf Stunden lang getestet worden waren) den ersten persönlichen Kontakt mit einem lebendigen Psychologen: ein recht enttäuschendes Erlebnis.

Nach Durchsicht meiner Akte teilte er mir mit, daß ich – meiner guten verbal-logischen Begabung gemäß sowie in Einklang mit meinem Interessenprofil – ohne weiteres Psychologie studieren könne. Aber auch Jura und Naturwissenschaften kämen in Frage, obwohl letzteres eben mit meinem Interessenprofil schon nicht mehr so recht harmoniere. Von Mathematik und Physik müsse er mir abraten – die dazu erforderliche Höchstbegabung besäße ich trotz guter Durchschnittsleistungen in jenen Gebieten nicht. Ich war verblüfft, daß zur Erteilung dieser Auskünfte so viele Tests nötig gewesen waren. Dies alles hätten ich oder meine Lehrer ihm doch genausogut mitteilen können?! Auch ein Blick in meine Schulzeugnisse hätte vermutlich genügt ...?

Als noch ungeschickter erwies sich das sicher freundlich gemeinte anschließende längere Gespräch, das er mit mir als zukünftiger »Kollegin« über die Art meiner Lektüre führte. Als ich ihm voll Begeisterung von eben entdeckten V. Frankl erzählte, lächelte der junge Mann, der vermutlich gerade seine Karriere als Testdiagnostiker begonnen hatte, nachsichtig und meinte, daß Frankl aber »gar nicht wissenschaftlich« sei. Als ich ein wenig unsicher auf meiner Begeisterung beharrte, meinte er abschließend: »Na ja, Sie sind ja auch gerade in der ›philosophischen Phase‹!« Als ich jene Bemerkung daheim überdachte, überfiel mich tiefe Verzweiflung. Ich fühlte mich nicht ernstgenommen; schlimmer noch: ich verachtete mich plötzlich selbst; waren alle meine geistigen Aufschwünge und Ekstasen also nur eine Art von vorübergehender Krankheit? Ich weinte lange und verzweifelt.

Als ich viele Jahre später zum ersten Mal mit den Ideen von C. Rogers bekannt wurde, verstand ich gut, was ihn ursprünglich zu seiner Ablehnung von Diagnostik und Bewertung getrieben hatte; mein kleines psychologisches Anfangserlebnis blieb mir ein hilfreicher Wegweiser.

Aus der Erfahrung mit mir selbst und anderen lernte ich immer deutlicher zu sehen, daß Urteile und Bewertungen – zur unrechten Zeit abgegeben – nichts bewirken als Abwehr, das traurige Gefühl, mißverstanden zu werden oder auch einfach das Gefühl von Ratlosigkeit. Dadurch vorgewarnt habe ich, wie ich meine, einige der schlimmsten Fallen dieses Berufes oft vermieden.

Meine Motivation, Psychotherapeutin zu werden, wurde

durch das Studium gründlich zerrüttet. Ich will hier nicht die vielen Einseitigkeiten eines fast rein positivistisch-naturwissenschaftlichen Studiums anklagen; sie sind hinlänglich bekannt. Wollte ich mich in der »scientific community« des Wiener Psychologischen Instituts behaupten, dann mußte ich diesen Wunsch fast ganz vergessen. Natürlich fand ich im Psychologiestudium nichts von dem, was ich suchte. Ich besuchte daher viele Philosophievorlesungen, studierte Geschichte und Kunstgeschichte und lernte die vielen physiologischen Daten, die man in Wien zum Psychologiestudium brauchte, gelangweilt auswendig. Irgendwann verließ ich das Institut als »Dr. phil.« – und schwor mir, den Beruf eines Psychologen nie wirklich auszuüben. Psychotherapeuten aber stellte ich mir nun als recht merkwürdige, verschrobene und selbstverständlich – schlimmstes aller Schimpfwörter – »unwissenschaftliche« Menschen vor. Sie machten sich entweder – wie unser Ordinarius für Psychiatrie – über die Skurrilitäten ihrer Patienten lustig, um sie dazwischen mit E-Schocks und Psychopharmaka zu behandeln oder: sie waren geistreiche Philosophen wie V. Frankl (den ich nun selbst hörte), dessen Therapien ich mir aber nie anders vorstellen konnte als gelehrte philosophische Diskurse. Zu beidem hatte ich wenig Lust.

Mein noch immer nicht nachlassendes Interesse »am Menschen« trieb mich in die Arme der Soziologie (und in die Arme eines Soziologen). Ich arbeitete als Berufsanfängerin an einem sozialwissenschaftlichen Institut und fand immer wieder einmal soziologische Lektüre, die mich dem nahebrachte, was mich interessierte.

Der Mensch als ein Wesen, das von konkreten gesellschaftlichen Kräften und Normen bis in seine innersten Erlebnisse hinein geformt wird: das war ein Aspekt, den sowohl meine katholisch-existentialistische als auch meine positivistische Vergangenheit mir nicht nahegebracht hatten. Beide begreifen ja den Menschen gewissermaßen als ein Abstraktum.

Schelskys Buch »Soziologie der Sexualität« eröffnete mir hier völlig neue Denkmöglichkeiten. Bis vor kurzem hatte ich Sexualität als eine Art »Liebesgabe« Gottes an die Menschen oder als eine »hehre Verpflichtung zur Fortpflanzung«, die um Himmels willen nicht mißbraucht werden darf, anzusehen gelernt;

19

eine soziologische Herangehensweise an das Phänomen Sexualität bedeutete gleichermaßen Schock und Befreiung. Wenn Sexualität nämlich – je nach Gesellschaftsform, Klasse und Entwicklungsstand – unterschiedlich erlebt und praktiziert wurde: durfte es dann die uns eingebläuten allgemeinen Moralgesetze in diesem Bereich wirklich geben?

Eheschließung und Umzug nach Bern brachten es mit sich, daß ich nun begann, meinen Beruf vor allem als »Broterwerb« zu betrachten. Ich arbeitete als Betriebspsychologin bei der Schweizerischen Post (arbeitete dort neue Eignungstests aus!) und bewarb mich schließlich ohne besonderen Ehrgeiz auf die Stelle einer Schulpsychologin. Daß mein Beruf meine ursprünglichen Interessen befriedigen könnte: das erwartete ich längst nicht mehr. Meine ursprünglichen Interessen waren, um ehrlich zu sein, auch irgendwie geringer oder flacher geworden – wahrscheinlich war eben die »philosophische Phase« wirklich vorbei. Ich las kreuz und quer, meistens Belletristik und Essayistik, ein wenig Philosophisches, und nur mehr selten nahm ich ein Buch über Psychologie zur Hand.

Erste Wegweiser

Warum aber bin ich nun doch Psychotherapeutin geworden? Meine neue Stelle faszinierte mich vom ersten Augenblick an: Ich erfuhr wieder etwas über Menschen, was andere nicht hören – wie hinter dem Vorhang unseres alten Wohnzimmers. Zwar war die Problemstellung damals in einer schweizerischen schulpsychologischen Beratungsstelle für höhere Schulen (sie nannte sich etwas irreführend »Akademische Berufsberatung«) eher eintönig: schlechte Gymnasiasten wollten beraten werden, ob sie nun doch noch weitermachen oder einen nichtakademischen Beruf ergreifen sollten; gute Sekundarschüler wollten wissen, ob es für einen Wechsel an das Gymnasium »wohl lange« und Abiturienten wollten wissen, welches Studium/Beruf sie wählen sollten. Dies beinhaltete viel individuelle und allgemeine Informationsvermittlung, endlose Testung und schließlich die »Abschlußberatung«. Die geheiligte Institution des Berner Gymnasiums mit seinen recht standesbewußten »Gymnasiallehrern« wurde natürlich nicht angetastet, institutionelle Veränderungen waren nicht denkbar; die Beratung war ganz auf den Individualfall abgestimmt – die Schüler paßten sich der Schule und ihren Lehrern an – bestenfalls konnte man den einen oder anderen Lehrer dazu beschwatzen, den Pubertätslaunen eines Schülers ein wenig mehr Verständnis entgegenzubringen.

Auch unsere eigenen Kategorien zur Schülerbeurteilung bewegten sich noch weitgehend im altväterlich-pädagogischen Bereich: die zwei wichtigsten Dimensionen waren Begabung/Unbegabung und Faulheit/Fleiß. Jeder Schulerfolg bzw. -mißerfolg konnte auf eine Kombination dieser beiden zurückgeführt werden. »Er (sie) könnte, wenn er (sie) nur wollte« war auch bei uns Psychologen eine häufig gebrauchte Diagnose, der wir Erklärungswert unterstellten. Für die Berufsberatung im engeren Sinn gab es dann noch »die Interessen« als dritte wichtige Dimension. All dies schien mehr oder weniger angeboren und unverrückbar, wenngleich wir natürlich wußten, daß dies zumindest beim »Fleiß« nicht wirklich der Fall sein konnte. Zwar machten wir neben den endlos langen Intelligenz- und Begabungstests auch immer wieder Persönlichkeitstests – ich kann mich aber nicht erinnern, daß wir als Team oder einzeln uns je besondere Gedanken gemacht hätten über den Zusammenhang von Lernmotivation und den verschiedenen Skalen in Persönlichkeitstests.

Dies alles klingt (hoffentlich!!) gewiß schrecklich für moderne Psychologen. Ich wage trotzdem zu behaupten, daß eine Reihe von Jugendlichen an unserer Beratung nicht nur Gefallen, sondern dort sogar Hilfe gefunden haben. Ich selbst weiß, daß ich sehr schnell die (fast unverrückbar feststehenden) Testereien mit ihren Ergebnissen als Pflichtübung betrachtete und mich auf das Gespräch konzentrierte. Bei individuell zu applizierenden Tests habe ich, ohne es zu wissen, auch so etwas wie eine »Verlaufsdiagnose« gemacht. Die Gespräche mit Jugendlichen und Eltern selbst aber nahmen einen immer breiteren Raum ein. Ich lernte bald, die widersprüchlichsten Testergebnisse blitzschnell so umzuinterpretieren, daß sie dem entsprachen, was ich intuitiv durch das Gespräch erahnt hatte oder in solche Ergebnisse umzumünzen, von denen ich annahm, daß sie eine konstruktive Wirkung auf den Jugendlichen haben könnten. Ich vermute, daß ich dadurch manch allzu argen Unfug vermieden habe. Das, was ich später in der Therapie als meine »Aggressionshemmung« verachten lernte, wirkte sich bei dieser Form der Beratung vermutlich ganz gut aus: ich wollte keinem wehtun, vermitteln, trösten und beliebt sein. Nach wie vor denke ich, daß dies bei manchen Formen der Beratung (zumal bei eher oberflächlich konzipierten) oft besser ist als eine »ehrliche« Diagnose, Konfrontation u. ä. m. Natürlich gelang es mir aber nicht, dies nach verschiedenen Personen und Situationen zu differenzieren, und so habe ich sicher auch manche Beratungschance verpaßt.

Auf jeden Fall aber wurde durch die (immer länger werdenden) Beratungsgespräche wieder angeknüpft an meine kindlich-jugendliche Neugierde auf das, was bei anderen vorgeht: offen oder heimlich, bewußt oder unbewußt. Schon damals habe ich – bar jeder Kenntnis der neuesten Literatur – intuitiv so etwas Ähnliches entwickelt wie verhaltenstherapeutische Analysen und Methoden und habe darüber auch publiziert. Ich wollte immer alles »ganz genau« wissen und so ließ ich mir bei jedem Problem immer wieder viele konkrete Situationen schildern und verlangte von Jugendlichen auch immer wieder das »Ausprobieren« neuer Verhaltensweisen, damit sie sehen könnten, »was dabei herauskommt«. Dies war auch später mein sozusagen »natürlicher« Zugang zur Verhaltenstherapie – im Grunde hatte ich ihn schon »erfunden«. Ich habe während der ersten Monate meiner neuen Berufstätigkeit jedem neuen Klienten buchstäblich entgegengefiebert – jeder brachte mir neue und interessante Informationen über sein Leben; der Beruf erschien mir wie das unaufhörliche Blättern in einem spannenden Buch. Ich habe zuerst vor allem rezipiert und wenig analysiert. Auch dies ist vermutlich einigen Klienten ganz gut bekommen. Kollegensupervision oder gar irgendeine »offizielle« Supervision gab es damals nicht; jeder suchte sich seinen eigenen Weg und ich hatte oft panische Angst, mein »Chef« (den ich fürchtete!) werde entdecken, wie wenig »wissenschaftlich« alles war, was ich trieb. Bei Gesprächen mit ihm habe ich daher jeweils gelogen, was das Zeug hielt. Nur einem später dazugekommenen gleichrangigen Kollegen brachte ich nach einiger Zeit ein wenig mehr Vertrauen entgegen. Im Grunde aber wußte keiner so recht, was der andere trieb.

Bald aber genügte mir das Anknüpfen an meine mehr oder weniger kindliche Neugierde nicht mehr. Zwar war es nicht mehr mein leidenschaftlich abstraktes Interesse für die Bewegungsgesetze »des Menschen an sich«, das mich nun umtrieb – aber immerhin hätte ich doch gerne gewußt, warum z. B. der zweifellos intelligente und interessierte Fritz B. ein solch eklatanter Schulversager war und ob diese merkwürdig verschrobene Besserwisserin von Mutter damit etwas zu tun haben könne. Und war das übertriebene Interesse, das Ruth ihren verschiedenen männlichen Klassenkollegen widmete, in irgendeinen Zusammenhang zu bringen mit ihrer heftigen Ablehnung, die väterliche »Christliche Buchhandlung« zu übernehmen? Es gab vieles, was bedenkenswert war – aber während meines nun schon lange zurückliegenden Studiums hatte ich nie gelernt, über reale Menschen anders als in Alltagspsychologie oder auch in moralischen Termini nachzudenken. (Noch immer wußte ich hingegen einiges über die Funktionen von Cortex und Stammhirn sowie über die Entwicklung des Gehirns von den niederen Säugetieren bis hinauf zum Menschen.)

Und so entdeckte ich als erstes die Sprache der projektiven Tests, vorzugsweise des Rorschach-Tests. Diese Tests waren in der Beratungsstelle vorhanden, wenngleich sie nicht allzu häufig verwendet wurden. Die heterogene Begrifflichkeit dieser Tests läßt zwar den Theoretiker erschauern – aber ich fand darin doch – in kasuistischer Weise lernend – einige brauchbare Konstrukte, um Beziehungen herzustellen sowohl zwischen den Berichten verschiedener Klienten als auch innerhalb ihrer eigenen oft unbegriffenen Erlebens- und Verhaltensweisen.

Ich habe mir über den Rorschach-Test nie eine solide Meinung gebildet. Ich habe ihn aber als flexibles Instrument, das mir Ideen und Leitlinien in der Beratung liefern konnte, schätzen gelernt. Auch mit »windigeren« Methoden wie etwa dem Wartegg-Test oder dem Baum-Test wußte ich etwas anzufangen. Eine Art Privatvalidierung ermöglichte es mir nach einiger Zeit, die darin ausgedrückten Elemente in den Gesprächen wiederzufinden und später, sie aus den Tests heraus zu vermuten.

Die Unterschätzung projektiver Tests habe ich daher nie mitgemacht. Auch jetzt noch glaube ich daran, daß ein auf viel Erfahrung fundiertes Umgehen mit projektiven Methoden (sowie natürlich auch der Einbezug von Mimik, Gestik und Sprachqualität) ein hilfreiches Handwerkszeug für den Psychologen sein kann. Der Schritt von einer solcherart betriebenen Diagnostik und Beratung (die oft immer mehr den Charakter therapeutischer Gespräche annahm) zur Therapie war nicht weit.

Immer wieder aber hatte ich anzukämpfen gegen eine mir vorgegebene Begrifflichkeit, die mich als Psychologin verwirrte. Die mir tradierte Alltagspsychologie aus einer vorwiegend katholisch-moralischen Welt mit österreichisch-zynischen Glanzlichtern hat heutzutage sicher nur mehr für wenige Psychologen Relevanz. Jüngere Kollegen aus anderen Kulturkreisen haben ganz andere Kategorien mitbekommen und müssen sich dieser distanzierend klar werden, damit sie nicht unreflektiert in ihre Beurteilung anderer Menschen einbrechen. Der Prozeß aber ist – ungeachtet des Inhalts – wohl der gleiche. Er ist, wie ich meine, nicht dem therapeutischen gleichzusetzen, er ist auch ein intellektueller; jeder Therapeut sollte ihn durchlaufen. In der eigenen Therapie wird dazu die emotionale Vorbedingung geschaffen – sie ersetzt aber nicht die geistige Auseinandersetzung, in der sich ein Therapeut sein Begriffsinventar schaffen muß. Für mich persönlich war die schwierigste Aufgabe die Entflechtung von psychologischen und moralischen Kategorien.

So gab es in meiner Kindheit z. B. viele sanfte, gute, edle Menschen, die alles geben und nichts für sich fordern: diese waren Ideale christlicher Heiligkeit. Es fiel mir später ungemein schwer, sie als »aggressionsgehemmt und masochistisch« zu denunzieren. Oft hatten solche Menschen im Leben ungeheuer viel »Pech«: sie wurden von ihren Partnern in übelster Weise ausgenutzt und sitzengelassen, ihre Freunde verdrückten sich, ihre Kinder kümmerten sich nicht um sie. Nur mit Mühe gelang es mir zu sehen, daß sie alle diese Verhaltensweisen auch provoziert hatten, daß sich in der Wahl ihrer Partner oft schon das pathologische Verlangen nach Demütigung ausdrückte u. ä. m.

Verkompliziert wurde das Ganze noch durch die vertrackten

österreichischen Salti in meiner Seele. Denn natürlich konnte ich mich auch amüsieren über jenes katholisch-heile Menschenbild, und auch für dieses Amüsement hatte ich viele Begriffe mitbekommen.

So waren jene edlen Heiligenfiguren natürlich nicht nur anbetungswürdig. Häufig waren sie auch »fad« und »uncharmant«. Der »Pep« des Bösen fehlte ihnen, und so mied man ihre Gesellschaft in gewisser Weise. Daß sie so oft »fad« waren und wenig vom beliebten bösartigen Wiener »Charme« besaßen, war aber wiederum schwer zu erklären. War dies ein Zufall? – Oder mußte man argwöhnen, daß es einen Zusammenhang zwischen dem Phänomen der Sanftheit und der »Fadheit« gab? Natürlich vermutete man das und drückte sich daher hinter vorgehaltener Hand grinsend auch dementsprechend despektierlich aus.

Es war also beileibe kein glattes und leicht durchschaubares System, in dem ich mich bewegte. Es war in vieler Hinsicht doppelbödig und vermutlich aus diesem Grunde besonders anregend für eine künftige Psychotherapeutin. In jener Zeit aber spürte ich vor allem den Mangel.

Weder reichte mir auf die Dauer das beschränkte Testvokabular noch war ich nunmehr zufrieden mit der Erteilung meiner vielen »Ratschläge«, um die ich mich schließlich nicht drücken konnte. Ich hatte inzwischen auch wieder ernsthaft zu lesen begonnen.

Und so wählte ich eines Tages die Nummer eines bekannten Berner Psychoanalytikers und bekam – oh, wunderbare vergangene Zeiten! – für den übernächsten Tag einen Termin.

Es fällt mir – rückblickend – schwer, meine Motivation zu bewerten. Lange Zeit hindurch hatte ich eine Art »schlechtes Gewissen«, weil ich mich »nur« aus Interesse in die Geheimnisse und das Leben anderer Menschen einschleiche. Es beruhigte mich, als mir unlängst ein sehr erfahrener Therapeut sagte, er hätte noch nie einen guten Therapeuten gesehen, der sich nicht dauernd voll Neugierde um die Biographie anderer kümmere – im privaten Gespräch, in der Vorliebe für bestimmte Literatur. Auch für mich sind die Einzelheiten eines jeden Lebenslaufes im Zweifelsfalle wichtiger und interessanter als Theorien; ich behalte sie für lange Zeit im Gedächtnis, und immer wieder verblüffe ich alte Freunde und Schulkolleginnen mit Detail-kenntnissen ihrer Vergangenheit.

Sollte aber der Motivation zum Therapeutenberuf nicht doch ein wenig mehr vom Helferdrang beigemischt sein? Zwar ist jener seit Schmidbauers Buch ›Die hilflosen Helfer‹ arg verunglimpft worden; ich aber denke, daß es vermutlich doch auf eine ausgeglichene Mischung von Interesse und Hilfsbereitschaft ankäme. Ich selbst spüre, daß mein vergleichsweise geringer Anteil an letzterem es mir verbietet, Klienten anzunehmen, die allzuviel fordern, z. B. psychotische Klienten. Ich habe mich der Unersättlichkeit mancher Klienten, die auch noch brieflich und telefonisch meine Aufmerksamkeit forderten, immer mit mehr oder weniger schlechtem Gewissen entzogen. Nach wie vor empfinde ich dies nicht für *alle* Klienten als vorteilhaft. Es belastet mich aber allzusehr, wenn Klienten auch noch an meiner kargen Freizeit knabbern oder sich intensiv um mich als Privatperson bekümmern – deshalb gehe ich darauf relativ selten ein.

Ist dies wirklich eine gute Motivation, Psychotherapeut zu werden? Ich weiß es nicht genau, aber ich denke, daß mein eigener Lebensweg zurück an die Universität, obwohl ursprünglich nicht so geplant, einiges korrigiert hat. Ich bin gerne Psychotherapeutin – ich weiß aber nun sehr genau, daß ich nicht mehr gut imstande wäre, diesen Beruf ganztägig zu praktizieren.

Zickzackwege durch den Bücherwald:
Lernen durch Literatur

Kann man Therapie durch Literatur lernen? Wird man ein besserer Therapeut, wenn man viel gelesen hat? Oder sind es doch nur »therapeutische Begabung« und Erfahrung, die dazu nötig sind?

Da ich nicht vorhabe, ein wissenschaftliches Buch zu schreiben, fühle ich mich zu keinerlei Objektivität verpflichtet – ich möchte nicht einmal »nachprüfen«, ob meine damalige Rezeption der für mich wichtigen Bücher wirklich stimmt. Diejenigen, die ich als wegweisend für mich ansehe, sind zum Teil – objektiv betrachtet – marginal; ich weiß dies inzwischen. Ich will aber meinen Zickzackkurs durch die Literatur nicht nachträglich korrigieren.

Was ich durch das Lesen für mein therapeutisches Handeln profitiert habe, kann ich schwer sagen. Kategorien zur Realitätserfassung bilden sich oft unmerklich, und man weiß gar nicht, welches Buch dabei etwa mitgewirkt haben mag. Es gibt aber auch plötzliche Erkenntnisse durch Literatur, wodurch man Erfahrungen sehr bewußt neu ordnet. Diese Art der Neustrukturierung ist mir – wie ich für mich meine – durch das Lesen eher selten passiert. Eigene therapeutische Erlebnisse markierten diesen Prozeß meist dramatischer.

Meine ersten vagen und tastenden Versuche im Lesen waren, wie ich beschrieben habe, von meinen philosophisch-anthropologischen Interessen geleitet. V. Frankl war dabei die geradezu ideale Lektüre für mich. Ich las alles, was mir in die Hand geriet: ›Logos und Existenz‹ gefiel mir am besten. Allerdings konnte ich darin nicht erkennen, was Therapie nun eigentlich sei. (Ich nehme an, daß Frankls frühe Bücher dies tatsächlich nicht recht erkennen lassen.)

Getreu meiner streng katholischen Erziehung und der dadurch gelenkten Interessenrichtung auf religiösen Existentialismus (Gabriel Marcel, Paul Claudel u. ä. m.) gelangte ich von V. Frankl zu Igor Caruso und Wilfried Daim. Letzterer war ein Wiener Psychoanalytiker, dem ich in einem privaten Zirkel begegnen durfte und dessen Buch ›Umwertung der Psychoanalyse‹ ich knapp vor dem Abitur sehr genau las. Ich entnahm ihm, daß es zwischen dem von Freud entdeckten »Über-Ich« und dem »Gewissen« einen Unterschied gibt, wobei letzteres eine metaphysische Instanz darstellt, während das profane Über-Ich nur die internalisierte Stimme des Vaters ist. Das Gewissen aber ist das »Sprachrohr Gottes zu den Menschen« und nur irdisch-triebhafte Menschen haben verlernt, die Stimme Gottes zu vernehmen. Therapie besteht nach W. Daim darin, sich langsam dieses Sprachrohres wieder bedienen zu lernen. Ich war erstaunt ob dieser feinsinnigen Unterscheidung und konnte mir nur Vages darunter vorstellen. Jahrelang aber habe ich beim Wort »Über-Ich« zusammengezuckt, als wäre es etwas irgendwie Obszönes. Ich vermute, daß ich es vor allem mit sexuellen Verboten assoziiert habe, während das Gewissen mir eben hätte sagen müssen – ja, was denn eigentlich? – irgendetwas, das mit dem Sinn meines Lebens, also mit etwas, das das »noetische Ich« (nach Frankl) betraf, zusammenhing. Meine Verwirrung war groß, ich fühlte aber Erhabenes.

Daims Erklärung der Neurose fiel auf einen durch Klosterschule und Katholische Jugend gut vorbereiteten Boden. Der neurotische Mensch nimmt, nach Daim, das Irdische für absolut. Heilung besteht darin, daß er das Irdische relativiert und nur Gott als das Absolute zuläßt. Dies war mir vertraut – durch vielerlei Gebete und Kirchenlieder. Darunter konnte ich mir viel vorstellen, z. B. auch die schöne Strophe:

> »Wir stolzen Menschenkinder
> Sind eitel arme Sünder
> Und wissen gar nicht viel.
> Wir spinnen Luftgespinste
> Und treiben tausend Künste
> Und sind doch weit noch von dem Ziel.«

Übrigens erscheint mir jener Gedanke – der religiösen Sprache entkleidet – auch heute noch vernünftig. Natürlich ist der Neurotiker (unter anderem) einer, der sich an irgendetwas fixiert und es für übertrieben wichtig hält. Im religiösen Gewand klingt diese Trivialität aber viel schöner.

Das Buch von Caruso (›Psychoanalyse und Synthese der Existenz‹), der damals, wie ich glaube, noch keine marxistischen

Ideen hatte, beeindruckte mich sehr viel weniger. Ich dachte zuerst, Caruso hätte von Daim einiges abgeschrieben (während es vermutlich umgekehrt war!) und konnte den sehr viel eigenständigeren und tiefsinnigeren Ideen Carusos daher nichts Neues mehr abgewinnen. So habe ich mich leider oft von Wissenswertem abgeschnitten – war etwas nicht neu und interessant genug, legte ich es oft für den Rest meines Lebens beiseite. Bis jetzt habe ich daher nie mehr etwas von Caruso gelesen, obwohl ich denke, daß es lohnen würde.

Mein starkes Interesse für philosophische Lektüre (ich saß stunden- und tagelang in der Universitätsbibliothek und las Jaspers, Heidegger und Nietzsche) sowie die spezifisch positivistisch-physiologische Form der Psychologie, die wir im Wiener Psychologischen Institut zu lernen hatten, verhinderten für lange Zeit tieferes Eindringen in die Sphäre der Psychopathologie oder Therapie.

Vielleicht ist es nicht unwichtig, jener gerade in Wien merkwürdigen Lücke zu gedenken, die sich vor mir auftat, ohne daß ich es richtig merken konnte: es ist das mangelnde Interesse für Tiefenpsychologie; die fast völlige Unkenntnis der Schriften Freuds. Zwar gab es die zweistündige Vorlesung eines Freudianers in irgendeinem abgelegenen Hörsaal der Universität. Dieser junge Mann aber war, ähnlich seinem großen Meister, »nur« Privatdozent und hatte selbstverständlich keinen Zugang zu den geheiligten Räumen des Instituts: aus alldem muß ich wohl geschlossen haben, daß es sich bei der Befassung mit Freud um ein eher skurriles Hobby handele – ähnlich etwa den vielen kleinen historischen Vorlesungen über die Geschichte eines abgelegenen Winkels Altösterreichs in irgendeiner längst vergangenen kurzen Epoche. Ich besuchte diese Freud-Vorlesung auch ein oder zwei Semester lang (der Hörsaal war nicht gerade voll) und hörte die nicht sehr eloquent vorgetragenen Ideen Freuds denn auch nur mit distanziert-freundlichem Interesse an. Ich erinnere mich nicht, daß ich damals je zu einem Buch Freuds gegriffen habe.

Denn für uns Wiener Psychologen galten ein paar Sätze aus dem Rohracher-Lehrbuch: daß es unmöglich sei, das Unbewußte zu beweisen, da es ja seiner Definition nach eben nicht bewußt werden könne; werde es bewußt, dann sei es aber eben nicht mehr das Unbewußte.

Zwar wäre gegen die Annahme eines Unbewußten an sich nichts einzuwenden; es bestünden aber doch erhebliche Zweifel, ob es sinnvoll sei, zwischen das bewußte psychische Erleben und dessen organischer Grundlage noch ein »Unbewußtes« einzuschieben. Die Annahme unbewußter seelischer Prozesse brächte sicher sehr viel weniger Gewinn als die Erforschung der (sowieso unbewußten) organischen Grundlagen des Psychischen. Hierbei bestünde nämlich reale Hoffnung auf eine wirkliche Erklärung des seelischen Lebens.

Für mich und viele andere war durch diesen wissenschaftstheoretischen Unfug die Tiefenpsychologie erledigt. Ich glaube, daß es wohl einige geheime Tiefenpsychologiefans im Institut gegeben hat (man munkelte über sie wie über Verschwörer!) – als aber Privatdozent Walter Toman, ein Mitglied des Instituts, sich mehr oder weniger öffentlich in einer Vorlesung mit Tiefenpsychologie abgab, war er bald von der Bildfläche verschwunden. Ich weiß nicht, wie es sich wirklich zutrug: die Sage ging aber, daß Rohracher ihn wegen »wissenschaftlicher Differenzen« als Assistenten entlassen oder weggelobt habe.

Ich bin sicher, daß es in Wien trotz des offiziellen Freud-Tabus Möglichkeiten gegeben hätte, sich praktisch und theoretisch mit Tiefenpsychologie auseinanderzusetzen. Ohne es getan zu haben, war für mich am Ende meines Studiums völlig klar, daß dies jedoch verlorene Zeit gewesen wäre: es handelte sich ja um eine unwissenschaftliche, altmodische und (ich fürchte, auch dies hat noch eine Rolle gespielt) etwas obszöne Angelegenheit.

Ich habe mich, während ich dieses Buch konzipierte, bei einem älteren Wiener Psychoanalytiker erkundigt, ob meine eklatante Unkenntnis der Psychoanalyse wirklich objektiven Faktoren zugerechnet werden könnte? Er hat es bestätigt: es fehlte im Wien der ausgehenden vierziger, der angehenden fünfziger Jahre (wie häufig in der Wissenschaft) die »mittlere Generation«. Nach dem Anschluß Österreichs an das »Großdeutsche Reich« im Jahr 1938 waren nur zwei Mitglieder des Psychoanalytischen Kreises in Wien geblieben (Aichhorn und Winterfeld). Nach 1945 gab es eine langsame und mühevolle Aufbauphase, während der nur wenige junge Menschen den Wunsch verspürten, die Psychoanalyse wieder neu kennenzulernen. V. Frankl war, nach seiner Entlassung aus dem KZ, ein Einzelgänger geworden, der nicht den Ehrgeiz hatte, eine »Schule« zu bilden. Wenige Analytiker haben publiziert. Tatsächlich gehörten, wie man mir versicherte, die von mir »entdeckten« Autoren Daim und Caruso zu den ersten und wenigen, die damals Bücher schrieben. Warum dies so war? Vermutlich ist – neben dem bekannten »Aderlaß« durch die Emigration – auch das restaurativ-kleinbürgerliche Klima im Nachkriegsösterreich dafür verantwortlich zu machen. Die Sozialistische Partei Österreichs hatte viel von ihrem progressiven Elan eingebüßt. Sie arrangierte sich mit ihren einstigen Feinden – der jetzigen »Österreichischen Volkspartei« –, deren Gründungsmitglieder oft noch als Vertreter der katholisch-faschistischen »Christlich-Sozialen« Partei die »Genossen« ins Gefängnis geworfen oder sogar (im Revolutionsjahr 1934) erschossen hatten. Von dieser Seite war also wenig zu erwarten.

Umsonst versuche ich in meinem Gedächtnis nach therapierelevanter Literatur, die ich während der nächsten Jahre gelesen haben könnte, zu forschen. Ich glaube, es gab nichts, wenn man die intensive Befassung mit moderner Literatur und Biographien nicht auch als eine Art »Vorbereitung« oder »Fortführung« meines Interesses für andere Lebensformen, verschiedenartige Menschen etc. ansieht. Ich glaube, es beginnt erst wieder mit dem Studium verschiedenster Rorschach-Anleitungsbücher, die mich dazu anregten, über meine Klienten nicht nur im Alltagsstil nachzudenken.

Erst der Beginn meiner eigenen Lehranalyse jedoch öffnete mir nun endlich das weite Feld der Psychoanalyse. Wie in alten Schultagen lag ich nun abende- und wochenendlang auf meiner Schlafcouch und las alles, was mir in die Finger fiel und was die Berner Stadtbibliothek zu bieten hatte: Greenson und Rapaport, Karen Horney und Adler und natürlich vor allem Freud selbst. Den kaufte ich mir sogar trotz unseres durch die Analyse nun recht schmal gewordenen Budgets in einer wunderschönen Ausgabe.

Ich las all dies nicht viel weniger naiv als eine Gymnasiastin. Da ich während meines Studiums nicht gelernt hatte, positivistische und nichtpositivistische Denksysteme voneinander zu unterscheiden und Kriterien für ihre Bewertung zu finden, verschlang ich nun alles ziemlich kritiklos. Überall entdeckte ich meine eigenen Neurosen sowie die meiner Angehörigen und Freunde. Fast jedem Buch konnte ich etwas abgewinnen, ohne jedoch wirklich imstande zu sein, Widersprüchliches gegeneinander abzuwägen. So begeisterten mich gleichermaßen Horneys Neuformulierung der Psychoanalyse wie Freuds Traumdeutung und ich kam mir oft vor wie jener legendäre österreichische Richter, der nach vehement vorgetragener Anklage und Verteidigung jeder Seite »recht« gibt. Vom Staatsanwalt darauf angesprochen, daß doch nicht beide »recht« haben könnten, meint er nur sinnend: »Da haben's auch wieder recht!«

Dieses naive Lesevergnügen war aber auch wirklich eine Wonne – ich fühlte mich am Beginn eines neuen intellektuellen Lebens und konnte wiederum Bücher »verschlingen«. Wenn ich trotzdem nicht imstande bin, über die Bedeutung dieser Lesefrüchte detailliert Auskunft zu geben, dann liegt dies vermutlich daran, daß ich vieles ganz emotional und ichbezogen konsumiert habe.

Am Beginn einer neuen intellektuellen Epoche ist es für viele Menschen wichtig, sich erst einmal auch emotional »einzuleben« in die neue Gedankenwelt. Mehr erlebend und assoziierend als scharf denkend habe ich daher erstmals die Tiefenpsychologie bewältigt. Erst vom Fundus des selbstverständlichen Wissens hebt sich ja das Einzelne, und das ein wenig oder stark Andersartige ab. Ich aber mußte mir erst einen Fundus schaffen.

Erstaunt war ich darüber, wie gut man Freuds klare Prosa lesen konnte – aus meinen Wiener Tagen hatte ich noch immer das Vorurteil genährt, es müsse sich bei ihm um einen schwer lesbaren, altmodisch-verzwickten Autor handeln, den man nur mit Hilfe von Wörterbüchern dechiffrieren könne. Mein eigenes Vergnügen erstaunte mich. Diese intensive Leseperiode dauerte fast bis zum Ende meiner Lehranalyse.

Karen Horneys Bücher ›Neue Wege in der Psychoanalyse‹ und ›Der neurotische Mensch in unserer Zeit‹ blieben allerdings ein wenig deutlicher abgehoben. Analog zu meiner eigenen Lehranalyse, die sich mehr auf aktuelle Situationen als auf dauerndes »Aufarbeiten der Kindheit« bezog, in der ich außerdem immer wieder fasziniert war von den wiederkehrenden »Mustern« meiner Verhaltensweisen, fand ich bei ihr eben diese Erlebnisse theoretisch verarbeitet. Ihre Idee, daß heutzutage nicht mehr der sexuell gehemmte Mensch der »typische« Neurotiker sei, sondern derjenige, der sich scheue, Liebe und Aggression zu zeigen, berührte mich ebenfalls. In meiner Umgebung fand ich viele Personen, die diesem Bild entsprachen. Für mich selbst allerdings konnte ich diese Erkenntnisse noch lange Zeit nicht verwerten.

Per Zufall fand ich in der Bibliothek das Buch eines mir natürlich gänzlich unbekannten Autors: es war Joseph Wolpes Buch ›Psychotherapy by reciprocal inhibition‹. Nach einem Blick in das Inhaltsverzeichnis fand ich es hinlänglich interessant zum Mitnehmen.

Dies war mein Einstieg in die Verhaltenstherapie: wie ich jetzt denke, ein wenig zu früh angesichts der intellektuell noch mangelhaft bewältigten Psychoanalyse. Mein Analytiker betrachtete diese Lesefrucht denn auch gleich als eine neue Variante meiner vielen gut ausgeklügelten »Widerstände«. »Mag sein, daß er recht hat«, dachte ich dabei nur ungerührt, »trotzdem werde ich es mir nicht verbieten lassen, etwas Neues zu lernen«. (Es war meine erste bewußte Distanzierung von einer Seite vieler Psychoanalytiker, der ich wohl nie etwas werde abgewinnen können: dem Mißbrauch psychoanalytischer Konstrukte zur Verteidigung des eigenen Dogmatismus über die Verobjektivierung des Gegners. Die Geschichte der Psychoanalyse ist bekanntlich voll davon, daß Analytiker in der Sachdiskussion einander ihre »Widerstände« um die Ohren werfen.)

Das Buch von Wolpe aber faszinierte mich. Anknüpfend an einiges, was ich am Wiener Institut gelernt hatte (Experimente!), brachte er es doch zustande, mit realen und lebendigen Menschen Therapie zu machen. Und wie schnell und erfolgreich dies alles zu laufen schien! Wie einleuchtend hier einige schlichte Gesetzmäßigkeiten menschlichen Lernens angewandt wurden! Ich bewahrte all dies sehr genau in meinem Kopf und führte von da an eine Art doppelte Buchführung: für mich persönlich galt es, unbewußte Motive zu erkennen, Fixierungen aufzuheben und Widerstände per freier Assoziation zu bearbeiten. Bei anderen schien so etwas eher Luxus – man konnte sie offensichtlich sehr viel schneller heilen, wenn man diesen ganzen Klimbim wegließ.

Die Übersiedlung nach Bochum zwang mich, nun die Analyse zu beenden. (Bis heute weiß ich nicht, ob sie »wirklich« zu Ende war – aber was heißt das schon?)

Während längerer Krankheit las ich einiges von C. Rogers, da ich Anschlußliteratur an Wolpe von meinem Bett aus nicht ausfindig machen konnte. Rogers hat mich nicht »umgeworfen«; ich hatte das Gefühl, viel davon bereits praktiziert zu haben – vor allem kamen mir die nichtbewertende Haltung sowie die Diagnosefeindlichkeit entgegen. Vieles von dem, was Rogers aussprach, hatte ich schon ähnlich empfunden, und ich freute mich, es nun von so kompetenter Seite formuliert zu finden. War Wolpe ein Schock gewesen – Rogers bedeutete ein angenehm-lauwarmes Bad. Beides aber lief mehr *neben* der Psychoanalyse als im Widerspruch dazu. Dies ist logisch natürlich schwer zu erklären – aber als Psychotherapeuten wissen wir ja, daß beileibe nicht die Logik alleine unser Denken diktiert!

Die Versetzung in ein anderes Milieu – ich arbeitete in Bochum in einer studentischen Beratungsstelle der Universität – bedeutete ungemein viel neue Anregung. Sie ging – von F. Kanfer angeleitet – fast ausschließlich in die Richtung der Lerntheorie und Verhaltenstherapie. Ich hatte vieles nachzulesen. Das Wiener Psychologische Institut hatte den ganzen angloamerikanischen Behaviorismus in seinem offiziellen Programm sehr verkürzt dargestellt. Also las ich Skinner, hörte Vorlesungen über Lerntheorie u. ä. m.

Ich arbeitete mich zäh durch sehr viel der damaligen gängigen Verhaltenstherapieliteratur durch, wobei das Wichtigste für mich Kanfers Artikel über Verhaltensanalyse war. Es fiel mir ungemein schwer, ihn zu verstehen. Die funktionale Betrachtungsweise war mir natürlich neu und fremdartig – Wolpes Buch kommt ja ohne dieses wichtige theoretische Netzwerk aus und verliert daher auch nie seinen »Kochrezeptcharakter«. Das schließlich aufgehende Verständnis für das Gemeinte aber bedeutete für mich über lange Zeit so etwas wie emotionale Geborgenheit. Ich hatte das Gefühl, auf dem »richtigen Dampfer« zu sitzen. Nun waren Wissenschaft und Leben endlich vereint – und ich konnte in meiner Arbeit täglich selbst ausprobieren, daß es »funktionierte«. Meine psychoanalytische Sozialisation vergaß ich allerdings nie ganz und so wählte ich mir als Thema für einen Kongreßbeitrag – nach langer Zeit wieder die erste wissenschaftliche Arbeit – ›Die Rolle des Gesprächs in der Verhaltenstherapie‹. Ich habe damals viele Standardwerke durchgearbeitet (C. M. Franks, A. Yates, V. Meyer und E. Chesser etc.), unzählige Artikel gelesen und konnte auch noch den trockensten Berichten über therapeutische Methoden etwas abgewinnen. Da ich nun auch selbst therapeutisch arbeitete, fand ich immer wieder Anknüpfungspunkte an die Probleme meiner eigenen Klienten und probierte sehr viel Neues.

Ein Buch, das mir – obwohl (oder weil?) es nicht gerade zu den »wissenschaftlichen« in der Verhaltenstherapieliteratur gezählt wird – sehr gut gefiel und besonders viele Anregungen brachte, war Andrew Salters ›Conditioned Reflex-Therapy‹. Hier spürte ich etwas von der Wendigkeit und dem Phantasiereichtum, die den guten Verhaltenstherapeuten ausmachen können. Hier wurden Fallbeispiele so lebendig und detailreich dargestellt, daß man nicht, wie leider häufig in der Verhaltenstherapieliteratur, auf die Idee kommen konnte, man habe es mit »einer Phobie« oder »einem Tic« zu tun.

Eine Zeitlang interessierte mich neben der Verhaltenstherapie nichts anderes. Meine psychoanalytische Literatur hatte ich beiseite geschoben, die »Psyche« abbestellt; die Selbstgerechtigkeit psychoanalytischer Darstellung ärgerte mich nun; ich konzentrierte mich auf Symptome, ihre vorausgehenden Bedingungen, ihre aufrechterhaltenden Konsequenzen und las begierig über immer neue Methoden und Methodenvariationen.

Eine schwache Vorahnung künftiger Interessen allerdings ließ in mir Weizmans Artikel über ›Behavior therapy and psychotherapy‹ erstehen. Weizman, ein Analytiker, setzt sich darin in sehr differenzierter und auch kenntnisreicher Weise mit der Systematischen Desensibilisierung auseinander. Er versuchte Verbindungen zwischen dem analytischen und dem verhaltenstherapeutischen Setting zu finden und begann erstmals – schulenunabhängig – Mechanismen zu suchen, die den therapeutischen Prozeß vorantreiben. Ich empfand diese Art des Herangehens schon damals als sehr wohltuend gegenüber dem üblichen kenntnislosen Geschimpfe der Analytiker über die Verhaltenstherapie. Dieselbe besonnene Art der Auseinandersetzung habe ich viel später durch P. Wachtel kennengelernt! (Mit Schrecken erinnere ich mich bei dieser Gelegenheit jenes Kongresses, wo ich stotternd meinen Beitrag über ›Die Rolle des Gesprächs in der Verhaltenstherapie‹ hielt. Eine Meute von Berliner Analytikern fiel über mich her, und ich mußte nach einiger Zeit das Gefühl bekommen, nicht nur ignorant, sondern auch total verantwortungslos zu sein. Ein Kollege lief mir noch in den Vorraum nach und sagte mit unheilschwangerer Stimme: »Sie können die Leichen in den Keller stopfen, Frau Kollegin, aber der Gestank . . . der Gestank wird Sie Ihr Leben lang verfolgen.« Wie wohltuend empfand ich dagegen die beschwichtigenden Diskussionsbeiträge von P. Fürstenau, den ich bei dieser Gelegenheit näher kennenlernte.)

Das Buch von Miller und Dollard, das ich etwa zur gleichen Zeit las, beeindruckte mich zwar als geistige Leistung – aber anfangen konnte ich damit weniger. Die mühsame »Übersetzung« der wichtigsten psychoanalytischen Konstrukte in die Sprache der Lerntheorie erschien mir wenig sinnvoll. Viel Wesentliches schien dabei verlorenzugehen – ich konnte nicht sehen, daß mich dies als Therapeutin weiterbrachte.

Obwohl wir jungen, von Kanfer angeleiteten, Verhaltenstherapeuten in dieser Zeit dauernd die »Wissenschaftlichkeit« unserer neuen Therapie herausstrichen, gestatteten wir uns doch sozusagen als geheimen und nicht ganz erlaubten »Leckerbissen« die interessante Auseinandersetzung zwischen Eysenck und Breger McGaugh. Daß wir das, was wir in der Therapie als »Bekräftigung« oder »konditionierte Reaktion« bezeichneten, nicht holterdipolter gleichsetzen konnten mit dem, was Pawlows Hunde und Skinners Tauben produziert hatten, erschien uns einleuchtend. Bei mir begann sich schon damals geheimer Widerspruch gegen das Gerede von der »Wissenschaftlichkeit« zu regen. Wir überlegten aber nicht sehr viel weiter und praktizierten auch hier »doppelte Buchführung« – d. h.: wir sprachen weiter über unsere Klienten, als hätten wir sie »konditioniert«.

Als ich in New York an einem sehr berühmten College für Klinische Psychologie für ein Jahr ein Stipendium erhielt, konnte ich zu meinem Stolz feststellen, daß ich in der Literatur ganz und gar »up to date« war. Bei meinem damaligen Mentor, A. E. Bergin, lernte ich erstmals auf vorsichtige Weise, kognitives Material einzubeziehen in die Theorienbildung. Daß ich dies implizit in der Praxis immer schon getan hatte, war mir ursprünglich von F. Kanfer sogar ein wenig übelgenommen worden. Allerdings war er es gewesen, der mir – in richtigem Spürsinn – den Platz bei Bergin verschafft hatte. Bei einem Treffen in New York erzählte ich Kanfer voll Begeisterung von meinen neuen Entdeckungen (ich schrieb für Bergins Seminar gerade an einem paper über ›Kognitiven Stil und die Systematische Desensibilisierung‹), was er ein wenig ambivalent quittierte: »Ich dachte mir, es würde dir dort gefallen – this cognitive stuff, ... it's so *European* ...«

Ich las viel über die ersten Versuche, die Systematische Desensibilisierung nicht nur kognitiv zu *interpretieren*, sondern auch experimentell darzustellen, daß die kognitive Bearbeitung als ein wesentliches Moment der therapeutischen Effizienz zu werten ist (Murray und Jacobsen, Valins und Ray etc.).

Wichtigere Lektüre in diesem Amerika-Jahr war aber zweifellos diejenige, die einem Bergin-Seminar über Persönlichkeitstheorien entwuchs. Als eines der Standardwerke wurde für mich bis heute S. Maddis ›Theories of Personality‹ wichtig, dessen Systematisierungskonzept ich meinem eigenen Denken unauslöschlich einverleibte. Das jeder Persönlichkeitstheorie zugrundegelegte Einteilungsschema in »Core constructs« und »Periphery constructs« ist mir bis heute sehr hilfreich gewesen im Dickicht der verschiedenen Persönlichkeitstheorien. Diese Art des Denkens knüpfte erstmals wieder an meine philosophisch-anthropologischen Interessen an. Ich hatte nun eine gute Möglichkeit an die Hand bekommen, Persönlichkeitskonzepte zu bewerten. Das »Core-construct« jeder Theorie verschmolz mir (zu Recht, wie ich auch heute noch meine) mit meiner ehemaligen Sehnsucht zu sehen, was den Menschen »im Innersten zusammenhält«. Und wie Schuppen fiel es mir von den Augen, warum der Skinnersche Behaviorismus von diesem Postulat aus natürlich nie eine »echte« Persönlichkeitstheorie entwickeln könne. Ich schwelgte in meinen Seminarreferaten im wissenschaftlichen Ausmalen dieser Tatsache und bekam vom freundlichen Professor Bergin jeweils sehr ermunternde

Worte zu hören – nicht zuletzt auch meines sich natürlich verbessernden Englisch wegen.

Viele meiner späteren Überlegungen über Psychotherapie fußten auf diesem Ansatz – ich habe später mit großem Interesse die hinter dem therapeutischen Vorgehen steckenden impliziten und expliziten Vorstellungen von der menschlichen Persönlichkeit entdeckt. Auch von dieser Position her bin ich wertend an verschiedene therapeutische Schulen herangegangen.

Von den »großen« Persönlichkeitstheoretikern studierte ich vor allem G. Kelly. Wenn ich an meine amerikanische Studienzeit denke, sehe ich mich eigentlich vor allem vor den zwei dicken blauen Bänden von Kelly sitzen und eifrig über die verschiedenen Haupt- und Nebenthesen seines Systems Konzepte verfassen. Ich arbeitete auch ein wenig mit dem von Kelly entwickelten Gridtest, fand aber die Auswertung für meine Statistikkenntnisse zu schwierig (Computer gab es im Institut noch nicht) und begnügte mich mit irgendwelchen intuitiven Aussagen.

Ich kann nicht sagen, daß ich mit Kellys System – so, wie ich es verstand – sympathisierte. Es faszinierte mich seine Logik und ich spürte, daß die Auffassung, der Alltagsmensch benehme sich eigentlich »wie ein Wissenschaftler« (hypothesenbildend und -verwerfend), in mir sehr viel ambivalente Gefühle erregte. Bis heute läßt mich übrigens dieses Thema nicht los, und in verschiedenen Publikationen habe ich versucht, überspitzte Positionen jenes Menschenbildes zu bekämpfen. Dies betraf und betrifft immer wieder meine Auseinandersetzung mit der Kognitiven Therapie.

Ich las in diesem Jahr – neuerlich als Studentin – natürlich auch eine ganze Menge anderer Literatur, vor allem die neuen Humanisten und Existentialisten, so z. B. Rogers, Maslow, Rollo May – aber von dieser ganzen Richtung wollte ich mich nun eigentlich distanzieren. Mein positivistischer Überschwang gebot mir, alle diese halbphilosophischen Werke nun ein wenig zu verachten. Ich fühlte mich zu sehr an meine katholisch-existentialistische Wiener Zeit erinnert, die ich nun doch endgültig überwunden haben wollte. Als ich viel später mit großem Vergnügen Russel Jacobys Buch ›Soziale Amnesie‹ las, wurde mir klar, daß es der »Sonntagsreden«-Stil der Humanisten ist, der mich besonders stört – ganz abgesehen natürlich von ihrer Tendenz, Gesellschaftliches zu individualisieren.

Nach Deutschland zurückgekehrt, galt ich nun als »Spezialistin für kognitive Verhaltenstherapie«, weshalb ich ein Jahr später auch als Siegerin in einem Hearing für eine Assistenzprofessorenstelle in Berlin hervorging.

Ein Buch, das in jener Zeit für mich sehr viel Bedeutung erhielt, war das Buch von A. und K. H. Mandel über Verhaltens- und Kommunikationstherapie; voll Begeisterung verfaßte ich eine Rezension, in der ich bedauerte, das Buch nicht selbst geschrieben zu haben. Es beschrieb ja zum ersten Mal so etwas wie einen integrativen Ansatz – etwas, was mir als Sache schon längere Zeit präsent gewesen war, was ich aber nur schlechten Gewissens gewagt hätte, zu formulieren (das Buch galt natürlich auch bei vielen Kollegen als »unwissenschaftlich«!)

Ich nehme an, daß viele Verhaltenstherapeuten 1972 ein ähnliches Erlebnis wie ich hatten, als sie Percy Londons Artikel ›The end of ideology in behavior therapy‹ in die Hand bekamen. Das »enfant terrible« der Psychotherapie hatte zugeschlagen, und ich war voll von spitzbübischem Vergnügen über seine Frechheit. Es war schließlich immer schwieriger geworden, unsere komplexen und komplizierten therapeutischen Interaktionen in das Prokrustes-Bett der engen lerntheoretischen Begrifflichkeit zu verpacken. Nun hatte einer offen ausgesprochen, daß wir Verhaltenstherapeuten es nicht mehr nötig hätten, uns mit dem geborgten Festkleid der »Wissenschaftlichkeit« pompös zu gebärden. Wir hatten jahrelang genügend oft bewiesen, daß wir gute Arbeit leisten konnten. Nun galt es, die dazu passende Theorie zu finden. Ich witterte Morgenluft und freute mich über neue Denkmöglichkeiten.

Die nächste Periode ist – von meinen Literaturerlebnissen her – schwer zu beschreiben. Als Wissenschaftlerin liest man anders, als wenn man in der praktischen Arbeit steht. Die Vorbereitung auf Seminare sowie der Publikationszwang erschweren einen naiven Zugang zur Literatur. Ich weiß daher nicht mehr, welche wichtigen Leseerlebnisse ich meinen therapeutischen Interessen zu verdanken habe und welche einfach deshalb wichtig wurden, weil sie gerade gut zum Thema eines Artikels oder meiner Habilitationsarbeit paßten. Der unmittelbar persönliche Bezug ging mir damit verloren – um so mehr, als ich in der ersten Zeit meiner Universitätskarriere kaum mehr praktisch-therapeutisch arbeitete.

Wollte ich wichtige Leseerlebnisse jener Zeit nachvollziehen, dann müßte ich vermutlich die Literaturlisten meiner Publikationen nachsehen.

Im engeren Sinn hebt sich aber als »therapeutisch relevant« beim Zurückerinnern an die frühen siebziger Jahre nichts heraus als ein Artikel meiner Kollegin und Freundin Irma Gleiss. Dieser Artikel (›Verhalten und Tätigkeit‹) war für mich in einer Hinsicht relevant, die möglicherweise mit den Intentionen der Verfasserin nur wenig zu tun hatte. Mich interessierte dabei nämlich weniger die Begriffsklauberei um Leontjews Tätigkeitsbegriff versus den reaktiv-automatisierten Verhaltensbegriff. Was mich faszinierte, war ein schlichtes Beispiel (von dem ich übrigens denke, daß es mit den abgehandelten Begriffen gar nicht so viel zu tun hat): es war das Beispiel eines aggressiven Kindes, das einerseits per »Konditionierung« dazu gebracht wird, andere Kinder nicht mehr zu verprügeln oder andererseits per Einsicht in eigene und gesellschaftliche Zusammenhänge, das Schlagen sein zu lassen, wobei davon ausgegangen wird, daß das »Ergebnis« – von außen betrachtet – gleich aussieht. Zur damaligen Zeit war diese Art des Denkens bei den nichtanalytischen Therapeuten nicht selbstverständlich; für mich vertiefte es die Zweifel, ob wir uns wirklich immer wieder auf die Bastion »Verschwinden des Symptoms« (bzw. »unerwünschten Verhaltens«) zurückziehen konnten, wenn wir angegriffen wurden. Ich begann, mich mehr und mehr für den inneren Weg, die Erlebnisse, die zum Therapieerfolg führen, zu interessieren. In diesem Zusammenhang begann ich dann auch, ausführliche Gespräche über die bildhaften und kognitiven Abläufe bei Klienten, die mit Systematischer Desensibilisierung behandelt wurden, zu führen.

Die Verhaltenstherapie relativierte ich also unter dem Einfluß einer tätigkeitstheoretisch orientierten sowie einer kognitiven Theorie mehr und mehr. Ich wünschte mir Literatur zur »Integration« verschiedener therapeutischer Stile – aber ich konnte sie nicht finden. Mahoneys Buch ›Kognitive Verhaltenstherapie‹ ragt für mich daher sicher nicht nur deshalb heraus, weil es wegleitend für mein eigenes Buch über ›Kognitive Verhaltens-therapie‹ (in dem ich Meichenbaums Ansatz zu einer Bewertung des gesamten Konzepts nehme) war.

Langsam gab es einiges, das in Richtung »Integration« wegweisend wurde. Ich freute mich über Bastines Versuch, die allen Therapien gemeinsamen »Strategien« zu klassifizieren, während ich Lazarus' wildwuchernde Abkehr von jedem Versuch einer theoretischen Begründung dieser Integration ein wenig merkwürdig fand.

In jüngerer Zeit fand ich zwei Publikationen, die mich sehr beeindruckten. Das eine war Grawes Handbuchartikel über Indikation, das andere der hektographierte Aufsatz einer mir damals unbekannten Wiener Kollegin, Marianne Ringler, über die Verhaltenstherapie und die Therapeut-Klient-Beziehung.

Grawes gründliche Literaturübersicht nahm im Ergebnis etwas voraus, worauf ich schon längere Zeit intuitiv hinzielte: die Erkenntnis, daß möglicherweise der gute Therapeut derjenige ist, der flexibel handeln kann, also einer, der verschiedene Methoden beherrscht, die er je nach Kliententyp und Therapiephase einsetzen kann. Das Gerangel um die größere Effizienz dieser oder jener Schule war mir immer ein wenig lächerlich erschienen. Die Verdammung tiefenpsychologischer Schulen hatte ich fast nie mitmachen wollen. Sehr dogmatisch war ich in keinem der mir vertrauten therapeutischen Stile vorgegangen. Deswegen war mir der Gedanke natürlich auch sehr sympathisch, daß je nach Klient und/oder Symptom jeweils die eine oder die andere Vorgehensweise angebracht sei – und daß sie innerhalb eines einzigen therapeutischen Prozesses sich ändern könne.

Ähnlich mit dem Artikel von Marianne Ringler, der nun schon lange veröffentlicht ist (›Die Patient-Therapeut-Interaktion und ihre Beziehung zum therapeutischen Prozeß in der Verhaltenstherapie‹) und der seine Herkunft aus dem multidisziplinären Team rund um Strotzka (Wien) deutlich zeigt. In diesem Artikel gibt es eine Falldarstellung, in der sichtbar gemacht wird, wie eine bestimmte verhaltenstherapeutische Methode genau diejenigen pathogenetischen Mechanismen eines Klienten aktiviert, die ihn immer wieder zum Scheitern bringen. Dies war die Initialzündung zu eigenen Überlegungen bezüglich der Wichtigkeit der Therapeut-Klient-Beziehung innerhalb eines spezifischen therapeutischen Settings, wobei eben das Setting selbst darüber entscheidet, welche Faktoren in dieser Beziehung aktiviert werden.

Der Klinische Kongreß 1980 in Berlin, der endlich auch die »offiziellen« Integrationsbestrebungen von Verhaltenstherapeuten und Gesprächspsychotherapeuten zum Ausdruck brachte, bedeutete für mich auch literarisch einen wichtigen Wendepunkt. So gibt es, meines Erachtens nach, im Kongreßbericht eine große Fülle sehr lesenswerter Artikel.

Mehr und mehr versuche ich, unter dem Einfluß einer Balint-Gruppe stehend, auch an psychoanalytische Lektüre wieder anzuknüpfen. Ich lese ziemlich viel gerade auch über die neueren Entwicklungen in der Psychoanalyse (obwohl mir das Wort »Narzißmus« nun schon bald bei den Ohren herauswächst); ich lese es in kritischem Respekt und hoffe, in den nächsten Jahren auch Erkenntnisse der Psychoanalyse in mein eigenes therapeutisches Denken und Handeln wiederum integrieren zu lernen.

Die große Reise:
Lernen durch Klienten

Spähtrupps aussenden, Fährten legen

Meine ersten Klienten waren, wie beschrieben, meine »Beratungsfälle« in der schulpsychologischen Beratungsstelle. Da man in der Schweiz Anfang der sechziger Jahre auch als Psychologe noch recht konservativ dachte, wurden mir als Frau vorwiegend junge Mädchen geschickt. Vor allem die Abiturientinnen sollten von mir beraten werden – ich glaube, häufig haben sie das auch von sich aus gewünscht. Diese Aufteilung nach Geschlechtern (die sich aber nicht ganz streng durchhalten ließ) hatte keinen einsehbaren, irgendwie psychologisch durchdachten Grund. Wir nahmen einfach an, daß junge Mädchen einer Frau gegenüber »mehr Vertrauen« haben würden. Da wir vorwiegend alltagspsychologisch dachten, gab es keine – fachlich geleiteten – Überlegungen für eine spezielle Überweisungstechnik.

Es war damals nicht unüblich, ohne berufsqualifizierende Vorbereitung als praktischer Psychologe zu arbeiten. Nicht nur hatten wir als Berufsanfänger keinerlei Erfahrung (Praktika während des Studiums waren weder verpflichtend noch gewünscht!) – wir hatten auch nicht gelernt, mit den auf uns zukommenden Erfahrungen reflektierend umzugehen. Niemand schien dies für nötig zu halten. Ich erinnere mich einiger Gespräche mit einem jüngeren Psychologieprofessor in Bern: er hatte einmal für kürzere Zeit in einem Erziehungsheim für verwahrloste Jugendliche gearbeitet und gab gerne und vergnügt plastische Schilderungen seiner »Praxis«: etwa, wie er aggressive Jugendliche »therapiert« habe; er hatte ihnen, so gab er an, mit fester Stimme befohlen, kopfüber am Ast eines Baumes hängen zu bleiben, solange sie es eben vermöchten (»dadurch wird deine Wut gelockert und aus dem Mund herausfallen«). Diese – manchmal ganz erfolgreichen – Prozeduren bei jungen Verwahrlosten wurden aber nicht etwa daraufhin betrachtet, was denn nun tatsächlich den Erfolg bewirkt haben mochte oder welche Art von Erfolg hier erzielt worden war. Nein, solche Schilderungen dienten vorwiegend der Darstellung einer Psychologenpraxis, der man nichts anderes unterstellte als mehr oder weniger bewußte Scharlatanerie. Gescheit war, wer seinen eigenen Lügen nicht glaubte. Natürlich wollte ich gescheit sein – aber konnte ich mich wirklich der Scharlatanerie bezichtigen angesichts meiner sehr ernsthaften und interessierten Bemühungen um die sich mir anvertrauenden jungen Leute? Insgeheim verachtete ich mich meiner Berufstätigkeit wegen; ich hatte das Gefühl, dies könne »jeder« – auch ohne Psychologiestudium. Mit letzterem hatte ich für die damalige Zeit, Anfang der sechziger Jahre, sicher recht. Was mir überhaupt nicht in den Sinn kam, war eine Reflexion darüber, welche persönlichen Vorbedingungen ein Berater in die Situation wohl bringen mochte und wie sich dies auf den Klienten auswirke.

Ohne Vorbild, Anleitung oder theoretische Orientierung praktizierte ich also das, was sich mir im sozialen Kontakt bisher immer als ganz günstig erwiesen hatte: ich war freundlich und liebenswürdig, versuchte alle Wünsche zu erfüllen und möglichst wenig Unangenehmes zu sagen.

Mein erster Beratungsfall war eine sehr schüchterne und unsichere Musterschülerin, deren Zeugnis so gut wie lauter »Sechsen« (die beste Note in der Schweiz) aufwies. Sie wußte nicht, was sie studieren sollte. Offenbar war sie ja »für alles« begabt. Aus einer nicht sehr bemittelten Familie stammend, hätten ihre Eltern sich ein Sekundarlehrerstudium gewünscht – dies galt aus den hinlänglich bekannten Gründen als ein besonders günstiges Studium für Mädchen. Meine Klientin selbst war nicht abgeneigt, diesem Wunsch nachzukommen – aber so ganz begeistert schien sie nicht. Vielleicht konnte ich doch irgendeine »spezielle« Begabung feststellen, die sie noch nicht bemerkt hatte? Ich testete sie hemmungslos und gab ihr – ähnlich meinem eigenen Berufsberater – bekannt, daß sie sehr gut und »gleichmäßig« begabt sei (der Intelligenz-Struktur-Test wies keine Höhen und Tiefen auf!), daß auch ihre Interessen weit gestreut seien – allerdings mehr in sprachlich-humanistischer und pädagogisch-psychologischer Richtung als in naturwissenschaftlich-mathematischer. Plötzlich rückte sie etwas abrupt mit einer Idee heraus: ». . . ob wohl Psychologie . . .?« Begeistert stimmte ich zu. Da allerdings wurde sie wiederum vorsichtig: Nein, das sei wohl doch zu schwierig...? – und dann: es dauere doch so lang?...Nun hatte ich mein Thema gefunden. Der Rest der Beratung galt massivster Beeinflussung. Tatsächlich studierte jenes sehr unsichere junge Mädchen Psychologie und wurde mir auf spätere Nachfragen hin auch als »Musterstudentin« geschildert – allerdings mit einem damals schon offensichtlich recht argen sozialen Defizit. Man berichtete, daß sie praktisch mit »keinem ein Wort wechsle«. Wenn man ohne jede theoretische Orientierung solch arge Schnitzer begeht, die noch dazu von einem oberflächlichen Erfolg gekrönt sind (so bedankte meine Klientin sich am Ende der Beratung fast überschwenglich) – dann passiert im Berater leider meist gar nichts. Bestenfalls läßt ihn der Fall nicht los. (Deshalb erkundigte ich mich auch ab und zu nach meinem schüchternen »ersten Fall«). Ich überlegte aber immer wieder, woher plötzlich dieser Psychologiewunsch aufgetaucht war. Ob ich selbst dabei wohl eine Rolle gespielt hatte? Und: daß sie in irgendeinem selbstgestrickten Test vernünftige und »psychologisch richtige« Antworten auf fingierte Kinderfragen geschrieben hatte (z. B. auf die Frage »Warum läßt der liebe Gott das Unkraut wachsen?«): war das wirklich Hinweis auf eine »Begabung« zur Psychologie? Solche Fragen tanzten ab und zu in meinem Kopf herum. Daß sie – die mir schon damals so merkwürdig verhemmt und unsicher erschienen war – sich nun gar als richtiggehend »auffällig« erwies, beunruhigte mich natürlich. Hätte ich mich nicht doch ein wenig mehr mit der ganzen Persönlichkeit befassen sollen? Freilich, ein Persönlichkeitstest hatte nichts Auffälliges erwiesen...

Diese und ähnliche Fragen tauchten auch anläßlich anderer Klienten immer wieder auf. Die meisten von ihnen konnte ich aber mittels der uns zur Verfügung gestellten Testmaterialien nicht lösen. Immerhin: sie bleiben haften. Ihnen verdankte ich meine sich ausbildende Fähigkeit, lange und oft aufschlußreiche Gespräche zu führen. Auch das erwähnte Interesse für projektive Tests nahm zu. Dadurch wurden manche meiner Beratungen ein wenig sinnvoller. Nicht ganz geplant, aber eben doch klar erkennbar, lernten einige meiner Klienten sich selbst und ihre Berufswahlmotive besser kennen. Da ich ihren eigenen

Überlegungen mehr Zeit ließ, stellten sie sich selbst Fragen: »Will ich das nur, um den Ehrgeiz meines Vaters zu befriedigen?« – »Bin ich noch immer so abhängig von meiner Mutter, daß ich mir nur ein Hausfrau-Mutter-Leben vorstellen kann und daher gar keine Berufswünsche habe?«. Ich registrierte genau und interessiert.

Als in einer späteren Phase Ilse, ein hochbegabtes, sehr neurotisches junges Mädchen, mit seiner entsetzlichen Prüfungsangst zu mir kam, wußte ich zwar gegen die Prüfungsangst kein Heilmittel, konnte ihr aber doch helfen (sie wollte gerade ihre Abiturvorbereitung abbrechen): ich reservierte ihr einfach immer eine Stunde, in der sie über ihre Angst reden konnte. Ich habe dies damals noch nicht als Therapie bewertet, aber sie selbst nutzte mein Angebot in sinnvoller Weise. Sie sprach über ihre tristen Familienverhältnisse, ihre intellektuell borniert Mutter, die ihr keine Ausbildung gegönnt hatte u. ä. m.; wir zogen nie irgendwelche tiefsinnigen Schlußfolgerungen zu ihrer Prüfungsangst hin – aber sie schaffte das Abitur und auch ihre ersten Prüfungen im Medizinstudium. (Sie schrieb mir noch jahrelang. Sie ist tatsächlich Ärztin geworden, wenngleich ich annehme, daß sie immer noch labil geblieben ist.) Bei mir konnte sie – vermutlich über ihre Identifizierung mit mir – etwas »Mut auftanken« – und das hat ihr bis zu einem gewissen Grad geholfen.

Der Gedanke an Ilse beruhigt mich auch jetzt noch, wenngleich ich ihr eine ordentliche Therapie gewünscht hätte. Auch bei ihr blieben aber tausend Fragen offen.

Erfreulicherweise wurden wir aber doch zumeist von einigermaßen gesunden und normalen Schülern besucht; sie konnten von unseren Informationen gut profitieren und suchten sich ihren Weg selbst.

Bei einer bestimmten Art von »schwierigen« Fällen entwickelte ich meine »quasi verhaltenstherapeutische« Methode. Wenn Unentschlossenheit und das zwanghafte Grübeln zu weit gingen (und mir persönlich zu langweilig wurden!), warf ich alle Tests beiseite und entwickelte mit den Klienten gemeinsam ein Aufgabenprogramm. Sie mußten ansatzweise »so tun als ob«: sich in einen bestimmten Berufsalltag in Form einer Schnupperlehre einleben, selbständig Berufsfachleute befragen, eine Berufsrolle spielen u. ä. m. Ich half bei den oft komplizierten Arrangements und war verblüfft über die Fülle neuer Erkenntnisse, den häufigen Motivwechsel und die neue Sicherheit, mit der nun oftmals Entscheidungen getroffen wurden.

Verzwickter als die Berufsberatung war aber die Schulberatung. Nicht nur, daß es sich dabei um jüngere Kinder handelte – was mir nie so recht gelegen hat; unser Instrumentarium war gerade dort, wo die Familie noch eine solch wichtige, aktuelle Rolle spielt, besonders dürftig. Was mich betrifft, so hatte ich vor vielen Eltern auch einfach Angst. Immer wieder wollten sie mich beschwatzen, ihre Kinder begabter zu sehen als sie den Testwerten nach waren, bewiesen mir auf logisch einwandfreie Weise, daß sie alles erdenklich Mögliche versucht hätten bei der Behandlung der kleinen »Faulpelze« und wenn ich dann noch in die Zwickmühle zwischen Eltern und Lehrer geriet (»Der Junge ist einfach kein gymnasialer Typ – da habe ich Erfahrung!«), kam ich oft buchstäblich ins Schwitzen. Da half mir kein österreichischer Charme mehr, kein freundliches »Es-allen-recht-machen-Wollen«: irgendeine Seite war hinterher böse auf mich. Außerdem wiesen einige Eltern natürlich unmißverständlich auf meine Jugend hin. »Haben Sie eigentlich schon selbst Kinder?« war eine der peinlichsten Fragen. In der Kaffeepause schimpfte ich mir bei unserer freundlichen Sekretärin den Ärger von der Seele.

Noch war mir Literatur zur Familientherapie nicht bekannt. Nur dumpf ahnend konnte ich vermuten, daß ich häufig belogen wurde.

Immer wieder gab es Erfolge: Kinder oder Eltern fühlten sich durch die »objektiv richtigen« Testergebnisse plötzlich ermutigt. Auch hatte ich manchen unabwendbaren Abstieg akzeptabel gemacht und alle darüber hinweg »getröstet«. Einer meiner Paradefälle – einer der schlechtesten Schüler des Gymnasiums hatte, meinen Vorhersagen gehorchend, durch einen Schulwechsel ein akzeptables Abitur geschafft – gab mir sogar bei einigen Gymnasiallehrern Kredit. Der angeblich sichere prognostische Blick für das »Gymnasiale« im Menschen konnte also auch irren. So schlängelte ich mich von Fall zu Fall, galt als »gute« und »sympathische« Beraterin und lernte vieles von dem, was ich tat, zu relativieren.

Zu Beginn meiner Lehranalyse war mir klar, daß meine Person mit der Beratungssituation etwas zu tun haben mußte; ich sah die hilflose Abhängigkeit, die Eltern und Kinder oft unheilvoll aneinander kettet, ohne sie doch näher fassen zu können; ich war überzeugt davon, daß unsere Interessentests albern und Intelligenz- und Begabungstests sehr fragwürdig waren; ich wußte, daß ich mich mit der dauernd auftauchenden »Faulheit« meiner Klienten würde anders und grundsätzlicher beschäftigen müssen; ich sah die Berufswahl nicht mehr als eine Resultante von drei konstanten Faktoren: Begabung – Interessen – Persönlichkeit; konnte aber die Dynamik der Motive, vor allem die damit verbundene Familiendynamik, nicht richtig fassen. Ich hatte also vieles falsch gemacht, aber eine Menge richtiger Fragen erfaßt.

Ziemlich bald begann ich in der Beratung meinen Lehranalytiker zu imitieren. Manchmal erwischte ich mich selbst dabei, wie ich in seiner Modulation halb angefangene Fragen im Raum stehen ließ: »Und da sind Sie also mißtrauisch . . .« oder: »Viel Mut ist da . . .?«

Meine Naivität im Ausfragen über konkrete Details wurde gebrochen, ohne daß ich dafür viel bieten konnte. Ich weiß nicht, was meine Klienten über eine nun eher zurückhaltende Beraterin gedacht haben. Ich erinnere mich nur an einen meiner letzten Beratungsfälle, den ich schon ganz bewußt als einen therapeutischen konzipierte. Es war die 17jährige Vreni, die unter irgendeinem unerheblichen Vorwand zu mir gekommen war, um mir – halb schockiert, halb erregt – über ihre vielen »schmutzigen Phantasien« zu berichten. Diese Phantasien traten fast ein wenig zwanghaft auf und waren mit den christlichen Moralvorstellungen ihrer Trägerin schlecht zu vereinen. Wir haben, glaube ich, ca. 20 Sitzungen absolviert, wobei ich Vreni ermunterte, mir »einfach alles, was in den Sinn kommt,« zu erzählen. Ich berichtete darüber in meiner Lehranalyse, erhielt auch ab und zu Ratschläge und konnte Vreni bald als »geheilt« entlassen. Es war mir aber klar, daß sich solch pubertäre Verstörtheiten vermutlich auch ohne therapeutisches Eingreifen verbessern. Sicher aber hatte Vreni durch diese Gespräche auch noch andere wichtige Dinge, z. B. im Umgang mit den Eltern, gelernt – jedenfalls bekam ich noch längere Zeit freundliche Dankesbriefe.

Sonnenaufgang: erste Entdeckungen in der Verhaltenstherapie

Der Umzug nach Bochum veränderte mein Berufsfeld erheblich. Als Studentenberaterin hatte ich es vorwiegend mit jungen Erwachsenen zu tun; unserer Unerfahrenheit entsprechend, nahmen Therapie und Beratung einen zentralen Platz ein, da wir nicht recht wußten, wie man »präventiv« arbeiten kann. Der psychologische Leiter der Stelle war ein Bochumer Psychologieprofessor, der natürlich von der neuen Richtung der »Verhaltenstherapie« schon einiges mehr als ich gehört hatte und dringend einen dafür aufgeschlossenen Psychologen suchte. Da ich die Stelle unbedingt haben wollte, schmückte ich mein durch Wolpes Buch erregtes Interesse gründlich aus und wurde fortan als Verhaltenstherapeutin betrachtet. Das war damals, am Beginn einer neuen Strömung, in Deutschland recht einfach. Ich denke, daß es vielen Kollegen ähnlich erging.

Ich war sehr begierig, bestimmte Methoden auszuprobieren und suchte mir »passend« erscheinende Fälle. Ich begann nun, zweigleisig zu arbeiten. Die »normal Unglücklichen« mit ihren diffusen Ängsten, Depressionen und Selbstwertproblemen ließ ich auf der Couch liegend frei assoziieren, wie ich es in meiner Lehranalyse gelernt hatte. Ich betrieb also – sicher schauert es alle Analytiker – »wilde Analyse«. Solche mit in der Verhaltenstherapieliteratur beschriebenen »Symptomen« unterwarf ich Prozeduren, von denen ich annahm, daß sie verhaltenstherapeutisch waren. Mein allererster Fall war unglücklicherweise ein universitätsbekannter Alkoholiker. Ich ließ mir vom Mechaniker des Psychologischen Instituts ein Elektroschockinstrument basteln und traktierte den Armen gleich mit der abscheulichsten aller Methoden: der Aversionstherapie (es ist übrigens meine einzige geblieben). Wir beide – mein Klient und ich – waren gleichermaßen beeindruckt von unserem Tun. Mit ausgesprochen »hysterischer« Struktur versehen, war er sofort für diese »ganz neue, ganz moderne, ganz wissenschaftliche« Prozedur zu haben gewesen. Täglich mußte er in der Vorstellung und in der Realität Bierflaschen entkorken und das Glas an den Mund setzen, worauf er dann immer seinen »Schock« erhielt. Ich habe unter dem Erteilen der Schocks sicher mehr gelitten als er. Er schien dies, im Gegensatz zu mir, fast zu genießen –

ein Phänomen, das ich wohl registrierte, aber nicht ernstnahm. (Daß man die Realität je nach theoretischer und ideologischer Strukturierung völlig anders wahrnimmt, habe ich in jener Periode der Zweigleisigkeit besonders deutlich demonstriert. Das gleiche Phänomen hätte mich bei einem auf der Couch liegenden Klienten sehr wohl stutzig gemacht.)

Selbstverständlich war mein Klient augenblicklich »trocken«. Wir redeten lange und lebhaft über sein neues Lebensgefühl, seine vielen Pläne, seine Partnerinnen u. ä. m. Diese Gespräche gehörten für mein verhaltenstheorieverengtes Verständnis »nicht zur Therapie«, allenfalls dienten sie der Motivationserhöhung. Ich wurde überall als Wunderheilerin gepriesen und leider war niemand da, der mich warnte.

Die Idealisierung meiner Person durch meinen Klienten wurde mir allerdings langsam lästig, vor allem, als sie sich auch durch häufige häusliche Telefonate bemerkbar machte. (»Ich fühle, daß ich umkippen könnte, wenn ich mich Ihnen jetzt nicht mitteile ...«)

Als zum ersten Mal eines dieser Telefonate um Mitternacht aus einer Kneipe kam und das Lallen von Herrn K. unüberhörbar kundtat, daß die »neue wissenschaftliche Methode« doch nicht als Wundermittel funktionierte, wurde mir recht bänglich zumute. Wie sollte ich nur weitermachen?

Wir versuchten es weiterhin mit E-Schocks, die Gespräche wurden diffiziler, die Rückfälligkeit wurde immer dichter. Ich will nicht alle Phasen jener gescheiterten Therapie durchgehen – sicher hat zwar mein Klient davon nichts profitiert, ich selbst jedoch wurde vorsichtig. Noch wußte ich mit dieser Vorsicht nichts anzufangen, aber mir wurde wohl klar, daß die Methode eventuell nicht nur unangemessen für das spezielle Problem war, sondern daß das Scheitern einer bestimmten Methode auch etwas »mit dem Persönlichkeitstyp« zu tun hat. Diese Erkenntnis wurde 10 Jahre später für mich äußerst wichtig; ich habe sie bis jetzt noch nicht gut validieren können, glaube aber, daß sich dort sehr viel fruchtbares Forschungsfeld auftäte. Im spezifischen Fall: die Methode paßte wie die Faust aufs Auge zum Masochismus des Klienten. Die Idealisierung der Therapeutin hatte wohl mit der Hysterie zu tun und hätte ebenfalls reflektiert werden müssen.

Nun, mein nächster Fall war – dem Symptom und dem »Typ« nach – wohl eher geeignet für verhaltenstherapeutische Methoden, die ich damals noch kochrezeptartig verpaßte. Es war ein junger Mann mit einer ziemlich schweren Agoraphobie, die zum Zeitpunkt des Therapiebeginns seit ca. drei Jahren bestand. Die dazu »passende« Systematische Desensibilisierung nahm ich mit großer Sorgfalt vor und lernte dabei sehr viel über das vernünftige Aufstellen von Hierarchien und über die wichtigen Gespräche hinterher, die ich mit großer Sorgfalt um Details der kognitiven Umstrukturierung zu führen wußte. Auch die Erhebung allgemeiner Daten aus der Biographie war mir im Zusammenhang mit dem Symptom wichtig. Vom »Typ« her würde man den Klienten Kurt wohl als eher »zwanghaft« beschreiben müssen, weshalb es ihm vermutlich auch leichtfiel, sich mit den verhaltenstherapeutischen Anordnungen zu arrangieren, sich sehr sorgfältig zu beobachten und Berichte auszuarbeiten. Psychoanalytische Vorurteile über den »Phobiker« lernte ich zu relativieren. So hatte Kurt z. B., obwohl auch er nicht »monosymptomatisch« war, ganz sicher keine Sexualstörungen, wie sie angeblich bei Phobikern immer zu finden sind. (Überhaupt lockerte sich mit zunehmender therapeutischer Erfahrung mein bis dahin gehegtes Vorurteil, jedes psychische Problem müsse auch seinen Ausdruck im Sexuellen finden.) Es wäre Zeit, daß wir rund um dieses Problem bald einmal mehr empirische Evidenz besäßen!

Kurts Therapieerfolg war stabil. Auch nach Jahren hörte ich, daß er sich seiner neuen Freiheit noch immer erfreue.

Sicher gehört es im psychoanalytischen Ausbildungskanon zu den Todsünden, erste Analysen ohne Kontrolle durchzuführen. Mangels Kontrollanalytiker tat ich es trotzdem und möchte behaupten, daß ich zumindest keinen großen Schaden angerichtet habe. Schließlich hatte ich in den drei Jahren meiner Beratungstätigkeit einiges Wichtige erlebt und erfahren, was ich nun nutzen konnte. (Trotzdem beneide ich alle jungen Kollegen, die unter Supervision zu arbeiten beginnen.)

Ich erinnere mich an einige »Couchpatienten«, die wirklich schwerwiegende Störungen gehabt haben. Am eindrucksvollsten war ein dem Kloster eben entlaufener Chemiestudent, der von seiner Mutter im Alter von 10 Jahren »dem Herrn« versprochen worden war. Dies sollte ihn vor den »bösen Weibern« bewahren. Sie selbst war ihm nach etlichem Alkoholgenuß während seiner Ferien öfters sexuell nahegetreten. Der junge Mann, Lorenz, fühlte sich in der »Freiheit« fast nicht lebensfähig – er hatte jede Art von Kontakthemmung, masochistische Sexualphantasien (er ritzte sich beim Onanieren wirklich mit einem Nagel die Haut auf) und schwere Arbeitsstörungen. Ich nehme an, daß jeder Kontrollanalytiker mich davor gewarnt hätte, einen solchen Fall zu übernehmen. Da es keinen »versierteren« Therapeuten als mich gab und im Ruhrgebiet damals auch die Überweisungsmöglichkeiten gering waren, mußte ich ihn wohl oder übel behalten. Über ihn und seine vielen Selbstmordgedanken reflektierend ist mir noch nachträglich zumute wie dem »Reiter über den Bodensee«. Was hätte alles passieren können! Ich glaube aber, daß mich meine Intuition nicht ganz im Stich gelassen hat und daß ich schon damals etwas sehen und für die Indikation zu verwenden lernte, was für mich bis heute sehr wichtig ist und mir übrigens auch beim verhaltenstherapeutischen Vorgehen immer richtig erschien: ich konnte gut wahrnehmen, wie viele *auch* gesunde Anteile jener junge Mann hatte – trotz seiner desolaten psychischen Situation. So ließ ich mir – ganz intuitiv – sehr viel von seiner tapferen »Flucht« aus dem Kloster erzählen, was mich sehr beeindruckte; tatsächlich gehört für einen jungen Menschen sehr viel dazu, nach ca. 12 Jahren Klosterleben, den bösartigen Bestrafungsmechanismen der Vorgesetzten zum Trotz, das Kloster zu verlassen. Er hat meine Bewunderung dafür sicher empfunden – wahrscheinlich habe ich sie auch offen ausgedrückt. Überhaupt – die Abstinenzregel –: meine »Verwilderung« nahm mit zunehmender Distanzierung von der Psychoanalyse zu; ich begnügte mich nicht mehr mit den vielen »hm, hm's« und den zögernden Interpretationen. Ich stellte nach und nach mehr handfeste Fragen, machte Vorschläge, gab Meinungen ab. Dies ist einem Verhaltenstherapeuten ja nicht verboten – und langsam vermischten sich meine zwei Identitäten eben doch.

So erinnere ich mich, daß mein »Mönchlein«, als er schon sehr viel mehr Lebensmut gewonnen hatte, eines Tages völlig verzweifelt und unangemeldet zu mir kam. Er sollte eben eine wichtige Mathematikklausur absolvieren, war schon auf dem

Weg dorthin gewesen und vor der Türe umgekehrt. Ihm war (wieder einmal) klar geworden, daß er »nicht zu den Menschen rundherum« gehöre, daß er vom gesamten Mathematikstoff nichts verstehen könne, vermutlich alles falsch gelernt habe etc. etc.

Die Zeit drängte. Ich hatte keine Lust, das Gefühl des »Nichtdazugehörens« nochmals zu reflektieren. Also ließ ich ihn in Gedanken den Weg hin zum Mathematikinstitut durchwandern, zur Türe hineingehen, sich hinsetzen u. ä. m. Nach gründlicher Entspannung stand ich auf und begleitete ihn den kurzen Weg zum Institut.

Er bestand die Klausur mit sehr gutem Erfolg und ich hatte den Eindruck, daß die Therapie von da an einen großen Schritt vorwärts machte. Aber auch eine typische Unterlassungssünde wurde mir in der Therapie Lorenz' erstmals bewußt. Im Laufe der Zeit hatte sich sein devotes Verhältnis zur Mutter in wütende Aggression gekehrt. Er zog ins Studentenwohnheim und ließ die Mutter – eine verbitterte, ältliche Witwe – mit vielen Vorwürfen zurück. Ich unterstützte Lorenz' Bestrebung nach Selbständigkeit und freute mich im geheimen an seiner Mutterbeschimpfung. Eines Tages stand seine Mutter in meinem Sprechzimmer. Da wurde mir rasch klar, in welch gefährlicher Situation nicht nur diese Frau, sondern auch ich selbst mich befand. Sie stieß wüste und wirre Drohungen gegen mich und meine Tochter aus (offensichtlich hatte sie sich über mein Privatleben erkundigt) und benahm sich so verstört, daß man um ihr Leben bangen mußte. Zusammen mit Lorenz – auch dies sicher ein recht unanalytisches Vorgehen – arrangierte ich eine Art Betreuung durch den Pfarrer und versuchte seither sehr direktiv, Lorenz' Verantwortungsgefühl für die Mutter zu stärken.

Zu jener Zeit waren Überlegungen familientherapeutischer Art noch nicht an mich herangekommen. Als die Zeit dafür gekommen war, erinnerte ich mich aber oft an Lorenz und seine Mutter. Die Vernachlässigung der Umgebung eines Klienten zugunsten der egoistischen Verarbeitung seiner eigenen Probleme hat mich seit damals beschäftigt. Da ich selbst nun Mutter war, überlegte ich mehr und mehr, was später wohl »meine Tochter auf der Couch« über mich berichten würde.

Dies hat mir sicher geholfen, auch die »andere Seite« miteinzubeziehen in die spezifischen Familiendramen.

Vorerst aber konnte ich das nur sozusagen »in Gedanken« tun, wobei ich meinem Klienten sicher unbemerkt eine ganze Menge vermittelt habe.

Ich möchte nicht den Eindruck vermitteln als wären – trotz mangelnder Supervision und unsicherer theoretischer Orientierung – alle meine Therapiefälle so glimpflich verlaufen wie der oben geschilderte. Es gab Mißerfolge; solche, wo sich »gar nichts tat«. Am besten erinnere ich mich an einen jungen Mann mit »Pavor nocturnus«, der bei einem berühmten Analytiker (ohne Erfolg) therapiert worden war. Er sprach von jenem Mann mit Geringschätzung. Ich war daher ungeheuer stolz, als nach wenigen Stunden jener Student mir unter großen Schwierigkeiten etwas anvertraute, was er während der ein- bis zweijährigen Analyse seinem früheren Therapeuten angeblich verschwiegen hatte: starke homosexuelle Phantasien, in denen er den passiven Teil spielte. Mein Größenwahn stieg in jener Stunde ins Unermeßliche: ich würde den Fall veröffentlichen, ich würde zeigen, daß eine etwas »persönlichere« Atmosphäre mehr Material zutage bringt u. ä. m. Ich erwartete natürlich irgendeine dramatische Verbesserung des Symptoms. Es geschah jedoch gar nichts. Nach wie vor erwachte er an manchen Morgen völlig zerschlagen und seine bei ihm lebende Freundin berichtete ihm dann, daß er wieder »ganz furchtbar geschrien« hätte. Diese Therapie löste sich irgendwann in Nichts auf und ich vermied es, darüber nachzudenken, welchem Therapeuten dieser Student wohl jetzt wiederum eine »ganz besonders geheime Mitteilung« zukommen ließ und wie er sich über mich als Therapeutin äußern mochte.

Mitten im Arbeitsprozeß stehend wurden solche Phänomene von mir zwar registriert, aber meist nicht wirklich reflektiert. Ich bewahrte sie nur sozusagen als »Warnsignal« für weitere Fälle auf. Bald wurde ich mißtrauisch, wenn ich nach kurzer Zeit ganz wichtige und behütete Mitteilungen bekam, wenn andere Therapeuten schlechtgemacht wurden oder meiner eigenen Kompetenz – oft schon telefonisch beim Anmelden – ein riesiger Kredit eingeräumt wurde.

Alle diese Erfahrungen haben mich vor einigen der »naivsten« Fehler der jungen und unerfahrenen Verhaltenstherapeuten bewahrt.

Ich konnte – immer mehr im Korsett der Verhaltenstheorie stehend – zwar nicht mehr von »Widerstands-« und »Übertragungsanalyse« sprechen. Aber die Phänomene waren mir natürlich vertraut und soweit sie sich nicht »uminterpretieren« ließen, ging ich eben unreflektiert-intuitiv damit um.

Unser Marsch durch Neuland: praktizierte Verhaltenstherapie

Warum aber bin ich, da sich anfangs Mißerfolge und Erfolge etwa die Waage hielten, immer mehr in das Fahrwasser der Verhaltenstherapie geraten?

Zum einen war sicher der Mangel an psychoanalytischen Vorbildern schuld – ich kannte im Ruhrgebiet keinen ausgebildeten Psychoanalytiker; langsam verwischten sich die Erinnerungen und anstelle der mir aus Bern her bekannten Vertreter dieser Berufsgruppe traten skurrile Geschichten, Witzfiguren und überzogene Vorstellungen von dem, was Analytiker in der Therapie angeblich tun oder nicht tun. Entgegen meinen realen Erinnerungen war ich nun durchaus bereit, mitzulachen, wenn diese als ausdauernde Schweiger oder spinnige Interpretierer geschildert wurden.

Demgegenüber erschien mir die Verhaltenstherapie als eine klare und saubere Sache – ganz abgesehen vom Etikett »Wissenschaft«, dessen wir uns anfangs natürlich auch gerne bedienten. Verhaltenstherapie repräsentierte das Einsehbare, das Strukturierte: sozusagen die Sonnenseite des Menschen.

Ich war noch immer Berufsanfängerin; ich war jung und voll Optimismus, daß auch mein eigenes Leben sich von rationalen Gesetzen und Einsichten in logisch durchschaubare Zusammenhänge würde leiten und ordnen lassen. Ich hatte noch zu selten ein Scheitern trotz bester Argumente und Einsichten erlebt. Ich glaubte und hoffte, daß menschliche Beziehungen als ein »Maximum an gegenseitiger Bekräftigung« wohl rational aushandelbar sein müßten. Die »Nachtseite« menschlichen Lebens wollte ich nicht sehen. Projektionen, zerstörerische Konzepte über die Welt oder die eigene Person und der daraus entstehende Zwang, alles kaputtzumachen: das wollte ich nicht akzeptieren. Ich glaube, daß mein Beruf mich zu jenem Zeitpunkt auch überfordert hatte. Ich suchte, wie viele meiner Freunde, nach Einfachheit. Dazu kamen imponierende Vorbilder. Fred Kanfer war eines. Er brachte den »Duft der großen weiten Welt« mit sich. Alle Literatur, die er empfahl, war präzise, logisch durchdacht, experimentell »untermauert«. Daß klinische Analogexperimente oft ganz anderen Gesetzmäßigkeiten gehorchen als der Alltag, daß die Spezifität der Klient-Therapeut-Beziehung sich nur im intimen Rahmen einer längerdauernden Auseinandersetzung entfalten kann: das alles bedachten wir nicht. Wir fühlten uns wohl, weil alles, was wir lasen und diskutierten, logisch gut aufgebaut und präzise analysiert war. Unsere Kritik blieb systemimmanent – und unser therapeutisches Handeln bestätigte unsere Begeisterung mehr und mehr.

In unserer Berufsgruppe gab es keine »alten« und »weisen« Vorbilder, die schon aus ihren Mißerfolgen gelernt hatten, daß das menschliche Leben sehr viel widersprüchlicher und mehrdeutiger ist als jede Theorie. Wir Verhaltenstherapeuten waren mitsamt unserer Wissenschaft noch recht jung – Irrationales, schwer Faßbares und allzu Komplexes machte uns Angst. – Wir wollten Klarheit. Deshalb vertrauten wir den schlichten Formeln von Habituierung, Konditionierung und Dekonditionierung. Psychoanalytiker würden sagen: dieser Glaube stellte eine beträchtliche Abwehrleistung dar.

Ich hatte nun – unter dem Einfluß von F. Kanfer stehend – immer mehr »rein verhaltenstherapeutische« Klienten; und ich hatte damit oft verblüffende Erfolge. Nun wartete ich nicht mehr auf das »passende« Symptom. Mit Hilfe des verhaltensanalytischen Instrumentariums lernte ich es bald sehr virtuos, alle Klagen meiner Klienten so zu operationalisieren, daß die »beobachtbare Seite« sich dem Auge darbot, wobei sich verhaltensändernde Methoden wie ganz von selbst anboten.

Da ich heutzutage lange nicht mehr mit demselben Optimismus und Erfolg Verhaltenstherapie betreibe wie damals, frage ich mich natürlich, was damals unsere Erfolge (denn wir waren in der Bochumer Beratungsstelle inzwischen zu einer kleinen Gruppe verhaltenstherapeutisch orientierter Psychologen und Psychologiepraktikanten angewachsen) wohl ausgemacht hat.

Da war, glaube ich, zum einen die Tatsache wichtig, daß wir uns vor dem großen Therapieboom und noch weit weg von der in der Bundesrepublik Deutschland langsam wiedererwachenden Psychoanalyse befanden. Unsere Klienten, meist Ruhrgebietskinder aus nichtintellektuellem Milieu, hatten keine spezifischen Erwartungen. Weder wollte man auf der Couch regredieren und ins Unbewußte »vorstoßen« noch erwartete man ein mit viel Geschrei und Dramatik verknüpftes plötzliches »Erweckungserlebnis«. Der »heiße Stuhl« war ebenso unbekannt wie die wilden Zuckungen bioenergetisch angetriebener Pseudoenthemmung.

Wir konnten also Neuland betreten und mußten nicht erst gegen falsche Erwartungen ankämpfen. Die einzige damals oft vorhandene Erwartung – man bekäme beim Therapeuten »Ratschläge« – erfüllten wir sogar bis zu einem gewissen Grad. Wir stießen also auf viel Zustimmung bei unseren Klienten. Die mit der Studentenrevolte beginnende theoretische Beschäftigung mit der Psychoanalyse brachte uns vorerst noch nicht in Schwierigkeiten; viele unserer Klienten dachten vermutlich sogar, sie befänden sich in einer Art kurzer Psychoanalyse, da man meist niemanden kannte, der einem erzählen konnte, wie es dort wirklich zugeht! Natürlich hüteten wir uns klugerweise, das der Psychoanalyse geschuldete Prestige zurückzuweisen, wenn wir es unverhofft mitgeliefert bekamen!

Unsere eigene Begeisterung mag ebenfalls ansteckend gewirkt haben. Wir empfanden uns als Pioniere, und wenn wir zu jener Zeit auch etwas voreilig viele psychoanalytisch gewonnenen Einsichten glaubten vergessen zu können, so entdeckten wir doch so viel unerwartet Neues, daß wir mit Recht stolz sein konnten.

Unserer eigenen Unbekümmertheit entsprach auch das Lebensalter unserer Klienten. Fast alle waren sehr jung und ihrem Alter entsprechend durch unsere Begeisterung leicht zu motivieren, mit sich selbst »zu experimentieren«. Was bei 40- bis 50jährigen oft großer Anstrengung bedarf – sich probeweise auf Neues einzulassen – stieß bei unseren Studenten meist auf reges

Interesse. Ich weiß, daß ich sehr oft auf den »Experimentcha-rakter« neuer Verhaltensübungen hingewiesen habe und daß dies fast immer gut aufgenommen wurde. »Seien Sie ihre eigene weiße Ratte« war mein oft gebrauchter Slogan; dies wurde nicht (wie zu späteren Zeiten im marxistischen Psychologi-schen Institut der FU) mißverstanden als eine Aufforderung zur »Verobjektivierung« des Subjekts, sondern es wurde als ein hilfreicher Spaß angesehen, der das Bewußtsein der eigenen Möglichkeiten erweitert. Tatsächlich kann man in jener »expe-rimentellen« Herangehensweise ja auch das Moment des akti-ven »Mit-sich-selbst-Umgehens« als ein nur dem Menschen ei-gentümliches »Subjektsein« interpretieren und genau dies ha-ben ich und meine Klienten getan.

Der Phantasie des Verhaltenstherapeuten sind ja – wenn er sich nur innerhalb der Grenzen der Verhaltenstheorie bewegt – wenig Grenzen gesetzt. Hat man erst einmal den zu verändern-den Punkt gefunden, dann ist der Therapeut in der Wahl der verhaltensändernden Methode (wobei wir auch damals schon, etwa nach Premacks Prinzip, Gedanken einschlossen) recht frei. Die Formalität der Lerntheorie erlaubt es ziemlich einfach, Erfolge lerntheoretisch zu interpretieren. Und so versuchten wir immer neue Variationen »klassischer« Methoden, wie der Systematischen Desensibilisierung, des Rollenspiels oder der Floodingprozeduren; wir dachten uns aber auch oft ganz Neu-es aus und exerzierten es mit großem Interesse durch. So hatte ich bei einer schweren Zwangsneurotikerin (Waschzwang), die mir viel Vertrauen entgegenbrachte, eine Zeitlang guten Erfolg mit einer Art abergläubischem Ritual. Die Tatsache ausnüt-zend, daß sie sich nur von meinem Händedruck nicht »be-schmutzt« fühlte (während das Anfassen anderer Dinge in ihr sofort den Waschdrang auslöste), kaufte ich ein schönes glattes Malachit-Ei, das ich während der Therapiestunde in den Hän-den drehte. Dieses Ei durfte sie jeweils nach Hause mitnehmen. Solange sie es berühren konnte, ließ sich der Waschdrang gut kontrollieren. Zwar war dies nur die Ersetzung eines Zwanges durch einen anderen – es war aber doch ein wesentlich weniger lebensbeengender, der es ihr z. B. erlaubte, ruhig zu schlafen. Meine Hoffnung auf eine endgültige Heilung beruhte nun dar-auf, daß sie durch jenen sehr viel unauffälligeren und weniger zeitraubenden Zwang mehr Freiheit zur Einübung neuen Sozial- und Arbeitsverhaltens gewinnen könnte. Dies sollte ihr auch mehr »reinforcements« verschaffen (wie wir uns wissenschaftsgläubig ausdrückten) und über eine allgemeine Hebung des Selbstwertgefühls sollten nun statt der Zwangshandlungen die »sozial positiv bekräftigten« Verhaltensweisen zunehmen. Abgesehen von der unsinnigen Sprache, in der wir uns verständigten (wobei wir etliche unreflektierte alltagspsychologische Konstrukte voraussetzten!), wäre dies alles vielleicht bei einem weniger schweren Zwang nicht nur von Erfolg gekrönt gewesen, sondern ließe sich auch in irgendeinem anderen theoretischen System erklären.

Nach Anfangserfolgen aber fiel alles in sich zusammen; wir wechselten die Methode, quälten das arme Mädchen mit »response prevention« (wozu wir rund um die Uhr Praktikanten einsetzten) und erreichten nur wenig. Übrigens habe ich nie erlebt, daß wirklich schwere Zwangshandlungen sich durch Verhaltenstherapie heilen ließen, obwohl davon in der Literatur oft die Rede ist. V. Meyers massiv erfolggekrönte Beschäftigung damit schwebte mir immer vor Augen. Als ich einmal eine Woche lang seine Klinik besuchte, konnte ich allerdings eine Reihe von »alten Zwängen« dort entdecken. Daraus und aus der Tatsache, daß man nach einiger Zeit nicht mehr viel von seinen Methoden hörte, schließe ich, daß auch die »Spezialisten« nicht unbedingt so erfolgreich waren, wie es aus der Literatur oft tönt.

Viel besser erging es uns mit allen möglichen Ängsten – gebundenen und diffusen. Ich wurde eine Zeitlang Spezialistin für Systematische Desensibilisierung in allen ihren Abwandlungen. Schon (oder: noch immer) interessiert an den »inneren« Vorgängen meiner Klienten, entwickelte ich große Kunstfertigkeit, scheinbar diffuse Ängste durch genaue Befragung und Anleitung zur Selbstbeobachtung auf konkrete Gegenstände zu lenken; ich entwickelte noch mehr Geschick, den Prozeß der Systematischen Desensibilisierung durch immer weitergehende Variationen so zu beeinflussen, daß meine Klienten nicht nur ein ausgefeiltes »mentales Training« in der Angstbekämpfung absolvierten, sondern sich auch fast schon in der Art des Leunerschen Katathymen Bilderlebens »auf die Reise« ins Land ihrer Ängste begaben und dort viel Aufschlußreiches erlebten, was wir hinterher genau besprachen. Man möge aber nicht glauben, dies sei ja nun »eigentlich« schon wieder Psychoanalyse gewesen. Da ich vertraut bin mit der psychoanalytischen Methode, kann ich in aller Gewißheit behaupten, daß davon im engeren Sinn damals wenig übriggeblieben ist. So nahm ich mir als Therapeutin sehr viel mehr Freiheiten heraus als ein Psychoanalytiker: gab Meinungen ab, ermunterte zu vielen neuen Wegen, sonderte selbstherrlich Wichtiges von Unwichtigem (so beschäftigte ich mich nie mehr mit Träumen!) und ließ die als »Übertragung« zu vermerkenden Phänomene ganz gewiß unreflektiert, wenn auch nicht unbemerkt.

Soziale Ängste, Prüfungsängste, Redeängste: einzeln und später in Gruppen waren wir unermüdlich dabei, uns neue Variationen der Angstbekämpfung auszudenken: durch Rollenspiele, durch Kontaktvermittlung mit besonders gefürchteten Personen und immer, immer wieder durch alle Variationen von Entspannung. Als besonders drollig erinnere ich mich der »Kontaktangst«-Gruppe einer Kollegin. Sie hatte die anderen Mitarbeiter nur vage darauf vorbereitet, daß sie während einer bestimmten Zeit »nicht überrascht« sein dürften von allem, was geschehen würde. Und so klopften zu jener Zeit gleichzeitig an alle Mitarbeitertüren schüchterne Studenten an und erbaten mehr oder weniger geschickt irgendeine Auskunft oder ein Gespräch. Das glücklich-gelöste Lachen, das nach Beendigung der Mission aus dem Gruppenraum ertönte, bewies, daß irgendein Erfolg sicher zu verbuchen war.

Als eines Tages mitten in die Abfassung eines Protokolls hinein ein junger, stark stotternder Mann in meinem Zimmer stand und mir mitteilte, er werde mir nun ein Gedicht vortragen, war ich allerdings nicht sicher, ob meine eigene soziale Kompetenz dem gewachsen sein würde.

Sicher war manches von dem, was wir ausprobierten, unsinnig: vieles unreflektiert. Als wichtiges, mich immer begleitendes Ergebnis jener Phase aber blieb bei mir haften eine neue Haltung gegenüber den möglichen Methoden und Erfolgen einer Therapie. Nach wie vor finde ich seither jeden immer nur todernsten und zwanghaft gleichen Zugang zur Therapie lächerlich: das ernsthafte Beharren darauf, daß ein Tonband den therapeutischen Prozeß unmöglich mache, die Angst vor einer Veränderung des »Setting« (wehe, die Stunde müßte in einem anderen Zimmer stattfinden!), die unnatürliche Haltung gegenüber der Klientenneugierde auf die eigene Person – all dies warfen wir befreit von Bord und fanden heraus, daß wir trotzdem (oder: erst recht) therapeutische Erfolge hatten. In den (wenigen) Diskussionen, die wir darüber mit Psychoanalytikern hatten, sowie in manchem Buch wurden wir in bekannter Weise dahingehend belehrt, daß unsere Erfolge anderer Art waren als die psychoanalytischen – weniger tief, weniger strukturverändernd. Wir lachten darüber nur. Daß die Sache mit der Symptomverschiebung meist nicht stimmte, konnten wir nach einiger Zeit selbst sehen; unsere Klienten gaben uns oft gute Rückmeldung; die wenigen Psychoanalyseklienten, die wir zu sehen bekamen, waren natürlich nicht besonders imponierend (sonst hätten wir sie nicht zu sehen bekommen) – unser Selbstbewußtsein war zu jener Zeit also sehr hoch.

Nach wie vor habe ich mir aus jener Zeit auch die Einsicht bewahrt, daß nicht alles besprochen, nicht alles »behandelt« werden muß, sondern daß »das Leben selbst« oft dafür sorgt, daß nach einem erfolgreichen »Anstoß« an irgendeiner Ecke auch in anderen Bereichen mehr Mut entsteht, neue Stile ausprobiert und von der Umwelt ermuntert werden. Ich glaube nicht, daß solche Erfolge weniger »tief« sind – sie werden nur oft in kürzerer Zeit erreicht.

Probleme mit dem Weiterwandern: Denkpause

Wir waren zwar voller Mut und Zuversicht, aber doch nicht ohne Probleme. Ich selbst war nach wie vor ungemein interessiert an allen »Geschichten«, die mir meine Klienten erzählten. Mit nur notdürftiger theoretischer Begründung (z. B. »Ich muß die ›Reinforcement‹-Biographie erkunden«) ließ ich mir sehr viel über Kindheit und Jugend erzählen. Ich war überrascht, als mir ein VT-Kollege aus München einmal berichtete, daß ihn diese ganzen langweiligen »Stories« nicht »die Bohne interessierten«. Er fühle sich ganz und gar als Detektiv, der nur den

Bekräftigungen und Auslösesituationen auf die Spur zu kommen habe. Vielleicht sind solche Kollegen wirklich die »echten« und »richtigen« Verhaltenstherapeuten? Dazu habe ich nie gehört – meine voyeuristische Anteilnahme ist immer sehr groß gewesen. Ich ließ mir also viel erzählen und hörte sehr viel mehr als nur Berichte über das »symptomatische Verhalten« und die damit unmittelbar zusammenhängenden Begebenheiten. Deshalb war ich wohl immer wieder geneigt, mich mit Problemen auseinanderzusetzen, die uns von Tiefenpsychologen (häufig sekundär vermittelt durch Studenten, die mehr und mehr psychoanalytische Lektüre ausprobierten!) als Diskussionsstoff geboten wurden. Zwar reagierte ich, wie meine Kollegen auch, eher defensiv – aber die Problemstruktur blieb doch haften.

So wurden wir – von freundlichen psychoanalytischen Kritikern – dahingehend belehrt, daß unsere Therapie eine »stützend-verdeckende« sei, während die psychoanalytische »regressiv-aufdeckend« arbeite. (Dies betrifft natürlich weder die Fokaltherapie noch die Krisenintervention!) Es versteht sich von selbst, daß das Wort »stützend-verdeckend« unserem kritischen, emanzipatorischen Anspruch nicht so recht schmecken wollte. Wir spürten, daß es eine etwas selbstgefällig – »vom hohen Roß herunter« – gereichte Gabe war, derer wir uns nicht so recht erfreuen konnten. Die Indikationskriterien für diese »stützend-verdeckende« Therapie schienen so gestaltet, daß wir die »nichtanalysefähigen« Klienten für eine Therapie zugeschanzt bekommen sollten; praktisch hieß das: alle besonders schwierigen Fälle. Im Ruhrgebiet, wo der Psychoanalytikermangel irgendeine Form der Überweisungspraxis sowieso überflüssig machte, spielte das Problem in der Praxis keine Rolle. Kollegen aus München oder auch aus London (Maudsley Hospital) berichteten jedoch sehr häufig davon, daß sie fast nur die »Wegwerfpatienten« erhalten hatten. Nach und nach also wurden wir regelrecht stolz darauf, von Psychoanalytikern abgelehnte oder über fünf Jahre lang erfolglos behandelte Klienten zu übernehmen. Tatsächlich erreichten viele von uns auch mit solchen Klienten oft erstaunliche Erfolge.

Wie aber stand es mit jenem Verdikt, daß wir Verhaltenstherapeuten »verdeckende« Therapie betrieben? Also eine Therapie, die nicht die vollen Möglichkeiten der Selbsterkenntnis ausschöpft, den Klienten unwissend läßt und ihn den automatischen »Konditionierungsmechanismen« anheimgibt. Konnten wir uns damit abfinden? Meine eigene Einstellung dazu hat im Laufe der Zeit erheblich geschwankt.

Zeitweilig – in Kampfstimmung – habe ich dieses Argument ohne viel Federlesens vom Tisch gefegt: nicht eine besondere Form der Selbsterkenntnis vermittle die Psychoanalyse, sondern nur eine spezielle Form der Sprachbeherrschung. Schließlich hatte ich meine eigenen Erfahrungen in der Analyse gemacht und diese gingen nicht unbedingt in Richtung »durchbrechender« Erkenntnisse. Dieses Argument wurde von Psychoanalytikern natürlich jeweils belächelt: welch verkehrte Analyse mußte ich wohl absolviert haben ...

Auch ließ sich nicht übersehen, daß neue Einsichten und Selbsterkenntnis sich auch bei unseren Verhaltenstherapieklienten einstellten: egal, wie dirigierend/aktivierend wir vorgingen. Ich konnte z. B. miterleben, daß die Analyse von Hans' »Wasserphobie« im Laufe der Zeit ein ganzes Panorama seiner Ängste enthüllte. Zuerst hatten wir nur – getreu den Anleitungen zur Systematischen Desensibilisierung – eine abgestufte Hierarchie aufgestellt, also: »Im Fernsehen einen Werbespot mit Wasser sehen«, »Einen Film über Schwimmer ansehen«, »Sich mit dem Auto einem See nähern« ... bis hin zum angsterregendsten Item: »Vom Bootssteg aus in den See springen«. Wie so häufig bei der Systematischen Desensibilisierung veränderten sich in der Imaginationsperiode die Bilder immer ein wenig und es bedeutete für Hans den Beginn sehr vieler Überlegungen, als er merkte, daß seine angsterzeugende »Kernphantasie« darin bestand, es würde sich ihm jemand von hinten nähern und ihn ins Wasser stoßen. Nun darf man aber beileibe nicht meinen, daß Hans in diesem »Jemand« etwa Vater oder Mutter identifiziert hätte oder daß es ein diesbezüglich ähnliches traumatisches »Urerlebnis« gegeben habe. Durch willkürliche Variationen seiner Phantasie und dadurch bedingte Reflexionen enthüllte sich für Hans allerdings ein »Muster« von Ängsten, die sich im Symptom der Wasserphobie zwar am deutlichsten ausdrückten, aber auch ansonsten einen Teil seines Lebens bestimmten. Immer nämlich lebte er in Furcht, irgendetwas nicht selbst bestimmen zu können; jede Situation, die nicht vorhersehbar und kontrollierbar war, erregte seinen Unwillen und zwang ihn zu vielen vorsorglichen Kontrollhandlungen. Als er erst einmal »auf der Spur« jenes Musters war, begann er sich natürlich brennend für die Herkunft jener lebensbeengenden Mechanismen zu interessieren. Reflexionen über das Erziehungsverhalten der Eltern (besonders der Mutter) boten sich an; ein kontrollsüchtiger Lehrer hatte bleibenden Eindruck hinterlassen ... u. v. a. m.

War das »verdeckende« Therapie? Sicher nicht. Oder war es, wie mir ein tiefenpsychologisch versierter Kollege versicherte, meine eigene psychoanalytische Vergangenheit, die mich unversehens und ungewollt in die Lage versetzt habe, bei meinem Klienten unbewußte Strukturen freizulegen? Das klang mir allzu mystisch. Ich hatte nichts anderes als eine gute Systematische Desensibilisierung gemacht – auch Kollegen ohne Lehranalyse berichteten immer wieder über ähnliche Erlebnisse. Wenn sie nicht rigide waren, dann förderten sie selbstverständlich solche Einsichtsprozesse. Zur Not konnte man auch noch das Wort »Transfererleichterung« einsetzen, um ein vielleicht methodeninadäquat allzu langes Verharren bei den Reflexionen des Klienten zu rechtfertigen. Natürlich aber ließ sich nicht leugnen, daß wir eigentliche »Anleitungen« für den Umgang mit diesem vom Klienten als »Nebenprodukt« produzierten Material nicht erhielten.

Es wurde aber immer klarer, daß auch Klienten der Verhaltenstherapie – welche Methode man auch mit ihnen ausprobierte – Einsichten gewannen in die Mechanismen ihrer bewältigten oder unbewältigten Probleme. Waren diese Einsichten aber vielleicht andere? Da zwar sicher die Sprache, in der diese Einsichten sich formulierten, eine andere war, wir aber nur schwer feststellen konnten, ob es auch die Fakten waren, blieben wir bei Vermutungen. Je nach Kampfesstimmung waren wir unsicher und skeptisch oder triumphierend-höhnisch.

Wenn man die Polemik der Gegenüberstellung »aufdeckend« oder »verdeckend« beiseite läßt, kann man natürlich ganz leidenschaftslos fragen, ob psychoanalytisch gewonnene Einsichten generell anders geartet sind als solche, die aus direktiven Therapien stammen. Es ließe sich weiterhin spekulieren, ob zwar vielleicht in jeder Therapie prinzipiell die gleichen Formen von Erkenntnissen möglich sind, diese aber in einem quantitativ anderen Verhältnis auftauchen. Schließlich müßte man noch fragen, welche spezifischen »Anstöße« es denn gibt zur Auslösung bestimmter Einsichten in die eigene Person. Bekanntlich hat vor allem die Psychoanalyse ein differenziertes Begriffsarsenal, um diesen Prozeß zu beschreiben und zu erklären.

In diesem Zusammenhang scheinen mir Begebenheiten wichtig, die man in der Psychoanalyse oft unter dem Terminus »Regression« zusammenfaßt. Ich verstehe darunter sowohl die kindischen, unlogischen, verqueren Denk- und Verhaltensweisen, die von Klienten in die Therapie gebracht werden, als auch – im positiven Sinne – die Möglichkeiten, sich von prälogischen, primärhaften Bildern und Symbolen therapeutisch leiten zu lassen. Wenn Klienten bockig sind, den Therapeuten provozieren, sich unvermutet schwach und jammerig darstellen u. ä. m., dann konnte ich als Verhaltenstherapeutin damit wenig anfangen. Die Reflexion darauf war zwar nicht verboten – aber mittels welcher Methoden sollte man den Klienten eigentlich zu Einsichten bringen über die Funktion solcher Verhaltensweisen? Bestenfalls konnte man sich etwas einfallen lassen und dann »raten« – traf man das Richtige, war man fein 'raus. Man hatte dann eine »typische« Verhaltensweise in der Therapie beobachtet und konnte mit dem Klienten gemeinsam Auslöser und Konsequenzen in der Therapie und im realen Alltag herausfinden. Ab und zu gelang das auch zufriedenstellend. In VT-Supervisionen sowie in der Literatur erfuhr man, daß dies die verhaltenstherapeutische Fassung der Bearbeitung von »Übertragung« sei. Was aber – und dies war häufig der Fall –, wenn Klienten Ausflüchte gebrauchten, ihre Provokationen rationalistisch verbrämten und vorgaben, gar nicht zu wissen, wovon der Therapeut sprach? Es gab keine »legitime« Möglichkeit des Konfrontierens, Hinterfragens, Deutens oder des Einbezugs von Phantasien.

Sehr bald gerieten wir auch in innere Widersprüche: war es nicht besser, solch wenig konstruktives Verhalten durch Nichtbeachtung zu »löschen«? Auch dies wurde in Supervisionssitzungen geraten. Dazu kam natürlich, daß wir in unserem symptombestimmten System wenig Sensibilität erlangen konnten im Erkennen feinerer Unterschiede und Unstimmigkeiten im Verhalten unserer Klienten.

Die verhaltenstherapeutischen Methoden sowie die ihr immanente »Philosophie« zielen im großen und ganzen auf den vernünftig denkenden, planenden, zielvoll handelnden Menschen ab – also nicht auf den, der irrational bockig ist, darauf besteht, daß ihm nicht zu helfen ist, sich seinen Träumen und Phantasien hingibt u. ä. m. Verhaltenstherapeuten sprechen also häufig den »Erwachsenen« an – und dies kann, je nach Situation, für den Klienten gut und befreiend sein. Aber – und hier haben Verhaltenstherapeuten nie das richtige Sensorium entwickelt: es *muß* nicht gut für den Klienten sein; es kann ihm die Chance, seinen eigenen konstruktiven Weg zu finden, auch verderben.

Und natürlich finde ich mich als nichtanalytische Therapeutin hier von jeder Theorie alleine gelassen; ich muß von meinem Gefühl und meinen Erfahrungen her argumentieren. Diese Erfahrungen aber sagen mir, daß ein Therapeut das »regressive« Gehabe seiner Klienten akzeptieren und später auch reflektieren sollte. Die vor allem in früheren Zeiten oftmals gehörten Vorschläge, man möge z. B. das Jammern des Klienten »löschen« und nur die »positiven« Anteile bekräftigen, haben mich immer als inhuman berührt.

Nicht nur sollte man Regression akzeptieren und bearbeiten – ich empfinde es häufig als sinnvoll, sie auch noch zu vertiefen: z. B. durch Hinlenkung der Aufmerksamkeit auf bildhafte Vorstellungen und Träume, auf Körperempfindungen etc. Dauerndes Fragen, Konfrontieren, »Auf-einen-Nenner-Bringen«: das sind Methoden, die den Klienten immerfort in der »erwachsenen« Position halten.

Warum oftmals Therapie (wenn man Glück hat) dort wirkt, wo das »Gespräch unter Freunden« nichts ausrichtet – diese merkwürdige Tatsache liegt bestimmt darin begründet, daß man »unter Freunden« meistens nicht guten Gewissens regredieren kann. (In dem Maß, in dem dies möglich ist, wirkt vermutlich auch Laientherapie.) Warum dies so wichtig ist, weiß ich nicht. Ob dabei wirklich krankmachende, frühkindliche Prozesse auftauchen und eine Chance zur Korrektur gegeben ist: darüber bin ich mir sehr im unklaren.

Ich spüre nur, daß ein guter Therapeut (egal, welcher Richtung) dadurch gekennzeichnet ist, daß er die Balance von Regredierenlassen und Ansprechen der »vernünftigen« Seiten gut einkalkuliert.

Eine Klientin, die in die Therapie sehr viel »regressives« Material gebracht hatte (Träume, Trotzanfälle, unerklärliche Schmerzen ...), hatte sich ihrer »Kindlichkeit« immer wieder geschämt. Durch Geschenke, Entschuldigungen und Rationalisierungen versuchte sie immer wieder, ihren »Erwachsenenstatus« aufrechtzuerhalten. Da ich fand, daß sie sich im Alltag sowieso immer viel zu kontrolliert und »pseudoerwachsen« verhielt, freute ich mich über ihre »kindischen« Anteile – vielleicht oft allzu sehr. Unter ihren vielen Symptomen befand sich auch das der Dunkelangst: stundenlang lag sie wach im Bett und lauschte auf jedes Geräusch. – Als sie mir diese Situation wieder einmal halb beschämt, halb genüßlich schilderte, meinte ich (übrigens: halb abwesend, ich wußte später gar nichts mehr davon) nur, sie möge doch um Himmels willen im Raum eine kleine Lampe anlassen. Wozu sie sich eigentlich quäle? Nach Befolgung dieses simplen Ratschlags war die Dunkelangst nach zwei oder drei Nächten weg. Viel später erst konnte sie formulieren, wie wohl es ihr getan habe, daß ich sie solch »vernünftiger« Dinge für fähig hielte. Es wäre fast eine Art »Erleuchtung« gewesen und hätte ihr Vertrauen in die gesamte Therapie verstärkt.

Die Qualität des therapeutischen Erfolges erscheint mir beileibe nicht nur als eine Funktion der therapeutischen Methode. Viel wichtiger dabei ist der »Typ« des Klienten und wohl auch die Person des Therapeuten.

Als Verhaltenstherapeutin lernte ich, das Therapieziel so zu operationalisieren, daß seine Erreichung möglichst überprüfbar ist – und dies empfinde ich nach wie vor als eine richtige und reelle Überprüfung dessen, was Therapeut und Klient geleistet haben. Bis heute ist mir nicht ganz wohl in meiner Haut, wenn ein »Symptom« zwar bestehen bleibt, Klient und Therapeut sich aber darauf einigen, daß dies jetzt »einen anderen Stellenwert« hat. Man gerät dabei leicht in die Gefahr von Rationalisierung und Nichtwahrhabenwollen einer schlechten Therapie.

Andererseits aber begegnet man immer wieder Menschen,

deren ursprüngliche Zielformulierung sich aus dem Prozeß eines inneren Wachstums heraus verändert, so daß es kleinlich wäre, den Therapieerfolg per Strichlisten und Häufigkeit operationalisierten Verhaltens zu messen. Ich habe in einer Falldarstellung in viel späterer Zeit beschrieben, wie ein älterer Mann mit depressiven Verstimmungen und Arbeitsstörungen sich nach und nach dazu durchgerungen hatte, seine Arbeit als »nicht mehr so wichtig« anzusehen und depressive Verstimmungen als mögliche »Quelle von Erkenntnissen« in sein Leben einzubauen. Auch dies erscheint mir sinnvoll. Immer wieder aber jage ich dem therapeutischen »Idealerfolg« nach und werde dabei natürlich oft frustriert. Zu jener Zeit der ersten Verhaltenstherapien galt aber nur, was sichtbar zu machen war. Also ließen wir Stimmungsbarometer und Angstskalen anfertigen, maßen die Schritte von Agoraphobikern aus und hakten Hierarchien ab. Wenn Klienten oft von ganz andersartigen Erfolgen berichteten, die mit der angewandten verhaltenstherapeutischen Methode offensichtlich wenig zu tun hatten, freute ich mich zwar, konnte aber theoretisch wenig damit anfangen. Ich nahm einfach an, daß eine »Generalisierung« der positiven Stimmung stattgefunden hatte, war mir aber auch schon damals der geringen Aussagekraft dieses Begriffs bewußt.

Der Weg wird schmal: genügt Verhaltenstherapie wirklich?

Wir wurden anspruchsvoller. Unsere Therapieerfolge genügten uns nicht mehr. Unter dem Einfluß der damals ins Kraut schießenden Gesprächspsychotherapiekurse wurden uns immer wieder das »Erleben von Gefühlen« und die »akzeptierende Grundhaltung« zum Thema. An manchen Punkten kollidierte dies mit der Verhaltenstherapie.

Die Beziehung zwischen Therapeut und Klient wurde zu jener Zeit – Ende der sechziger Jahre – wenig thematisiert. Sie sollte einfach »gut« sein, damit die Person des Therapeuten als »Verstärker« oder als »Modell« wirksam werden könne.

Natürlich stolperte ich nicht selten über diese Beziehung. Der Psychoanalyse immer mehr entrückt, verlor ich langsam auch das nötige Begriffsinventar zur Charakterisierung dieser Beziehung. Ich glitt wieder zurück in mehr oder weniger alltagssprachliche Beschreibungen anderer Menschen und beachtete ihre Wirkung auf meine eigenen Gefühle nur mehr selten.

Der recht wenig befriedigende Fall einer jungen Theologiestudentin blieb mir als besonders problematisch im Gedächtnis. Die junge Frau – deren Symptome ich vergessen habe – verliebte sich in mich und gab mir dies auch zu verstehen. Ich fühlte mich teils geschmeichelt, teils auch ein wenig bedrängt. Die Therapiesitzungen, in denen ich eigentlich das ursprünglich vorgetragene »Problem« behandeln wollte, wurden immer mehr in Beschlag genommen von Überlegungen über meine Person, meine Sympathie zur Klientin u. ä. m. Da ich damals gerade einen Gesprächspsychotherapiekurs in Hamburg absolviert hatte (es war noch die Phase der etwas technizistischen »Variablen«therapie), versuchte ich, ihre Gefühle zu verbalisieren. Mein verhaltenstherapeutischer Supervisor griff sich an den Kopf: auf diese Weise würde ich ja das ewige Sprechen über mich selbst nur »verstärken«. Ratschlag: ich solle jedesmal, wenn das Gespräch auf meine Person käme, aufstehen, zum Fenster gehen und ostentativ nicht zuhören. Die Behandlung des »wirklichen« Problems jedoch solle durch freundliche Aufmerksamkeit »belohnt« werden. Diesen Ratschlag konnte ich unmöglich befolgen – er lief einfach allem zuwider, was ich je erfahren und empfunden hatte. (Ich bezweifle übrigens auch, daß mein damaliger Supervisor ihn für sich selbst befolgt hätte.)

Meine eigenen verwirrten Gefühle konnte ich damals schlecht benutzen. Ich wußte nur, daß mir die wahnsinnigen Idealisierungen meiner Person mehr und mehr zur Last wurden. In meiner Not lud ich die Klientin zu mir nach Hause ein – ich hatte das vage Gefühl, ihr zeigen zu müssen, daß ich »ein ganz normaler Mensch« sei.

Die Wirkung war verheerend. Von nun an waren unsere Therapiesitzungen damit erfüllt, daß sie ihre Enttäuschung an mir formulierte: wie autoritär war ich, ihrer Meinung nach, mit meiner Tochter umgegangen; wie technisch-kalt hatte unsere Wohnzimmereinrichtung auf sie gewirkt; und außerdem hatte sie eine Putzfrau in meiner Wohnung gesehen: Gipfelpunkt kapitalistischer Ausbeutung . . . Ich reformulierte, ich verteidigte mich, ich blockte ab – und natürlich verlor ich sang- und klanglos meine Klientin, die sich später recht wenig freundlich über mich äußerte.

Noch heute tut es mir leid um das viele Material, das ich bei diesem Fall »verschenkt« habe! Welche Chance: das lesbische Thema, die Provokation der Einladung, die daraus entstammende Häme und Aggression … Ob analytische oder eine andere Bearbeitung dieser Themen: sie wären bestimmt wichtig gewesen.

Sehr oft, so nehme ich an, habe ich aber intuitiv die Beziehung zum Klienten zu seinem Vorteil benutzt. Jedenfalls gelangen mir verblüffende Erfolge bei depressiv Verstimmten, denen ich mit verhaltenstherapeutischen Methoden immer wieder klarmachte, welch positive Qualitäten sie an sich hatten. Da ich nach wie vor und schon damals die Methoden an sich (gestufte Aktivitäten, positive Selbstbekräftigung nach dem Premack-Prinzip u. ä.) ein wenig lächerlich fand, muß ich annehmen, daß diese Methoden nur der Anstoß zu Wichtigerem waren. Ich hatte damals aber keine Begriffe mehr, um dies zu reflektieren.

Heute würde ich meinen, daß einige wichtige Beziehungserlebnisse mit der Anwendung dieser Methoden verbunden waren. Die depressionshemmenden verhaltenstherapeutischen Methoden bauen ja darauf, daß jeder irgendetwas Positives, Lobenswertes tun kann – ich war also sicher als Vertreterin des »Positiven« ein Symbol der Hoffnung – was mir übrigens nicht schwerfiel, da ich auch im eigenen Leben selten das Gefühl der Hoffnungslosigkeit kenne. Dazu vermittelte ich vermutlich auch – gerade durch die Schlichtheit der Forderungen – eine Art innere Struktur und erleichterte dadurch die vielen Ängste der schlecht distanzierten, vage Depressiven.

Ich bekam nämlich bei den jüngeren Studenten immer häufiger das zu Gesicht, was man heutzutage den »Neuen Sozialisationstyp« (NST) nennt. Manche von ihnen waren gerade wegen ihrer inneren Diffusität mit verhaltenstherapeutischen Methoden ganz gut bedient. Ich glaube nicht daran, daß hier nur ein schlechter »Ersatz« für das fehlende Über-Ich geboten wurde; ich nehme vielmehr an, daß bei nicht allzu großen Störungen dieser »Ersatz« nach und nach auch ein wenig die Persönlichkeitsstruktur verändert hat und bei einigen Klienten günstige Voraussetzungen geschaffen hat für ihre weitere Entwicklung. Wir stießen allerdings dabei auch ganz eindeutig an Grenzen.

Einer unserer studentischen Klienten hat dabei eine Art bundesweite »Berühmtheit« erlangt, da wir seine Geschichte nicht nur in einem der ersten verhaltenstherapeutischen Seminare in München vorstellten, sondern auch F. H. Kanfer einspannten, der ihn interviewte und mit uns gemeinsam einen Therapieplan aufstellte. Wir nannten ihn den »sogenannten Bochumer Schizoiden« – und dokumentierten damit natürlich, daß wir noch nicht ganz weggekommen waren vom psychiatrischen Typisieren und Klassifizieren.

Dieser Klient litt – bei einigermaßen klaglosem äußeren Funktionieren – an einer allgemeinen Freudlosigkeit, einem Gefühl der Leere und Distanz. Man konnte seine Stimmung und sein Erleben zwischen »subdepressiv« und »distanziert-schizoid« einordnen. Seine Kontakte erschienen ihm irgendwie gleichgültig, seine Freuden waren schal.

Wie viele Methoden haben wir doch an ihm ausprobiert! Mit differenzierten Verstärkungshierarchien versuchten wir, jeden Funken an Lebensfreude zu »bekräftigen«. Was aber nützt es, jemandem einen »Kinobesuch« zu gestatten, wenn er dies zwar als »Verstärker« angekreuzt hat, aber gerade zur Zeit überhaupt nichts genießen kann. Und kann man »Geschlechtsverkehr« als »Belohnung« verschreiben, wenn man gerade eben ein wenig Sonnenschein lustvoll erlebt hat? Die Absurdität derartiger Methoden war offenkundig.

Die Ermunterung zu verschiedenen Aktivitäten wurde zwar befolgt – aber Freude daran stellte sich selten ein. Phantasieübungen, in denen die höchstrangigen Verstärker mit Alltagshandlungen gekoppelt werden sollten, erwiesen sich als völlig wirkungslos.

Nein, unserem »sogenannten Bochumer Schizoiden« war offensichtlich durch Verhaltenstherapie nicht zu helfen! Dies stellten auch die Münchener Kollegen achselzuckend fest und Kanfer hatte den Vorteil, früh genug wieder in die USA zu reisen, so daß er das endgültige Scheitern der Therapie nicht wirklich mitbekam. Ich glaube, daß ich aus den erfolglosen

Therapien stets mehr gelernt habe als aus den erfolgreichen. Zu jener Zeit analysierte ich Mißerfolge zwar selten – ich habe sie aber fein säuberlich gespeichert.

Nach und nach entwickelte ich große Intuition dafür, mit wem ich verhaltenstherapeutisch arbeiten und mit wem ich »nur reden« konnte. Letzteres erfüllte mich mit schlechtem Gewissen, da ich nun – entfernt von der freien Assoziation – nicht mehr recht wußte, wie das Gespräch eigentlich zu strukturieren war. Bald verfiel ich auf den Einfall, einfach die Kanfersche Verhaltensgleichung als innere Leitlinie zu benutzen. Man denke nicht, daß dies eintönig sein muß! – Ich brachte es bald zu einigem Geschick in der Kunst, jede noch so kleine Begebenheit genau beschreiben und nach Auslösern und Konsequenzen suchen zu lassen. Natürlich lernten viele Klienten, dies auch für sich selbst zu praktizieren und fühlten sich dadurch dem Wust ihrer inneren Anspannungen nicht mehr so hilflos ausgesetzt. So fand sich eine Struktur; so ergaben sich manchmal auch neue Formen des Umgangs mit den eigenen Problemen.

Natürlich aber waren auch diese ein wenig rationalistischen Gesprächsleitlinien nicht für alle Klienten zu gebrauchen. Mit Schrecken gedenke ich einiger Klienten (ich wage es kaum zu wiederholen, aber ich denke, man tut ihnen nicht Unrecht, wenn man sie wiederum als »schizoid« klassifiziert), die jedes Schema durchbrachen, deren gestaltlosen Klagen ich hilflos ausgeliefert war und denen meine Versuche zur Strukturierung höchstens »banal« vorkamen.

Ich will nicht verschweigen, daß ich vor jenen Therapiesitzungen Angst hatte. Jener schöne blonde Student der Linguistik, Schwarm aller Mädchen, der mindestens nach jeder zweiten Sitzung angab, sich unverstanden zu fühlen (»Ich glaube, Sie blicken da irgendwie nicht tief – grundsätzlich – theoretisch ... etc. genug«): welch unangenehmes Gefühl schon am Morgen seines Therapietages! Jedesmal von neuem mußte ich feststellen, daß ich tatsächlich den Faden verloren hatte und mich in den vielen Abstraktionen nicht mehr auskannte.

Ich weiß nicht, ob ich ihm heutzutage helfen könnte; ich weiß aber sicher, daß meine jetzige Balint-Supervisionsgruppe die Tatsache, daß ich ihn als den »Schwarm« aller Mädchen bezeichnete, nicht ungehindert passieren ließe; daß sie außerdem seine Tendenz, mich zu verwirren, und meine Bereitschaft, mich verwirren zu lassen, recht gründlich aufs Korn nehmen würde. Dies würde vielleicht dem Klienten nicht helfen. Mir aber würde es zumindest den Abbruch der Therapie ohne allzu große ungelöste Probleme ermöglichen.

Auch die segensreiche Wirkung begrenzter therapeutischer Hilfe in Krisenzeiten habe ich schätzen gelernt. Jener hochdifferenzierte und begabte Assistent (der, mit dem Etikett »Schizophrenie« versehen, sich einige Jahre später das Leben nahm) ging einige Monate hindurch – durch eine sehr differenzierte Systematische Desensibilisierung gestützt – wirklich angstfreier an seine Dissertation und erreichte einen Abschluß. Das hat ihm große Befriedigung gebracht (und dazu noch einen beruflichen Aufstieg!); einige Zeit hindurch konnte er sich ein wenig mehr seines Lebens erfreuen. Auch Walter T., der Spitzenstudent aller Mathematiker, der sich »in den Computer verliebt« hatte, ließ sich durch unser gestuftes Kommunikationsprogramm aus der Reserve locken und bahnte einige wenige Kontakte zu jungen Mädchen an. Zwar blieb er immer ein schrulliger Sonderling (übrigens einer mit recht trockenem Witz) – ich könnte mir aber vorstellen, daß er bleibenden Gewinn aus der Erfahrung gezogen hat, daß auch weibliche Geschöpfe Informationen verstehen und darauf reagieren können – und daß sie darüber hinaus auch noch andere Reize besitzen. Jedenfalls gab er auf seine vertrackte Weise zu erkennen, daß es vielleicht doch noch anderes im Leben zu bedenken gäbe als die Verfertigung von Computerprogrammen.

Das »Sicheinrichten« (auf Zeit oder auf Dauer) mit den eigenen Absonderlichkeiten, sofern sie nicht allzu gesellschaftsfeindlich waren, lernten wir alle zu schätzen. Natürlich blieben viele unserer Klienten »ihrer Struktur verhaftet« – wir fanden uns damit ab und lernten dadurch frühzeitig etwas, was (wie ich erlebt habe) oft nur ältere und weise gewordene Analytiker im Laufe eines langen Berufslebens akzeptieren. Daß wir uns eher auf partikulare Ziele einließen und die Globalstruktur außer acht ließen, hat uns dabei geholfen. Unser Fehler dabei war sicher, daß wir zu schnell auch den oberflächlichsten Verhaltensänderungen glaubten und oft übersahen, daß sie höchstens den Beginn einer Änderung darstellten oder auch nur durch kurzlebige Suggestion erzielt worden waren. Da wir alle dem Ideal der »schnellen« Verhaltenstherapie verhaftet waren, entließen wir viele Klienten allzu früh als »geheilt«. Rückfälle wurden uns entweder nicht bekannt (die Studentenpopulation wechselt ja schnell) oder von uns irgendwie verdrängt.

In den ersten Jahren meiner »Entdeckung« der Verhaltenstherapie habe ich (gerade gegenüber Psychoanalytikern) natürlich versucht, das Vorurteil abzubauen, Verhaltenstherapeuten seien »seelenlose Konditionierer«, Menschenverächter und unfähig, den differenzierten Seelenspielen ihrer Klienten zu folgen. In Fallschilderungen betonte ich daher immer wieder die Gedanken und Gefühle meiner Klienten. Nicht selten trug mir dies das zweideutige Lob meiner Partner ein, »eigentlich« sei ich eben doch noch ein Stück Psychoanalytikerin. Dieses Lob (wenn es eines ist) habe ich denn auch nur mit gemischten Gefühlen zur Kenntnis genommen. Wenn es nichts anderes besagen sollte, als daß ich mich mit meinen Klienten als »ganze Person« beschäftige, enthält es offensichtlich nichts als eine Diffamierung der Verhaltenstherapie. Soll damit darauf hingewiesen werden, daß auch ich »unbewußtes Material« zutage fördere, dann allerdings spricht es nicht unbedingt für die einzigartige Vorrangigkeit der psychoanalytischen Methode.

Tatsächlich glaube ich, daß in jeder guten Therapie am »unbewußten Material« gearbeitet werden sollte; oder wie sonst sollte man es nennen, wenn Klienten im Laufe einer Therapie entdecken, daß sie ihren schwierigen Partner brauchen, um dem eigenen glanzlosen Leben Aufregung zu verschaffen; daß sie ihre Hoffnungen irrationalerweise immer an den Besitz einer besonders schönen Frau ketten, weil auch die eigene Mutter als Schönheit galt u. ä. m.

Vieles wird in psychologischen Therapieformen zwar anders benannt als in psychoanalytischen – ich habe aber wenig Phänomene psychoanalytischer Falldarstellungen gefunden, die mir nicht vertraut waren. Das aber heißt ja, daß das mehr oder weniger strenge psychoanalytische Setting offenbar nicht nötig ist, um »Unbewußtes« bearbeitbar zu machen.

Ich fühle mich zwar nie »eigentlich« als Psychoanalytikerin; ich fühle jedoch größte Bewunderung für ein System, das – der Tendenz nach – imstande sein will, ätiologische Konzepte für psychische Störungen zu liefern; Konzepte, denen ein Menschenbild zugrunde liegt, das vom Widerspruch zwischen Gefühl und Vernunft, Individuum und Gesellschaft ausgeht. Verglichen damit empfinde ich alle anderen Menschenbilder – behavioristische, humanistische – als schal und flach, ganz abgesehen davon, daß sie ihrer Formalität wegen als ätiologische Konzepte meist nicht gut brauchbar sind.

Am Beginn meiner Karriere als Verhaltenstherapeutin war ich noch allzu begeistert von den neuen Handlungsmöglichkeiten, die sich mir als Therapeutin auftaten, um das defizitäre Menschenbild der Lerntheorie wirklich zu beachten. Später argumentierte ich damit, daß die Praxis der Verhaltenstherapie ein anderes Bild vom Menschen vermittele. Es gab eine Zeit, da ich jenes Bild – »der planend-vernünftig-zielvoll handelnde Mensch« – für die ganze Wahrheit hielt. Erst viele therapeutische Mißerfolge oder »halbe« Erfolge machten mir klar, daß ich die andere Hälfte – die irrationale, getriebene – auch noch integrieren mußte in mein Denken. Deshalb fasziniert mich natürlich die Psychoanalyse. Das aber heißt nicht, daß ich mir der sehr vagen Realitätsfundierung ihrer Konstrukte nicht dauernd bewußt bin.

In meinem amerikanischen Jahr habe ich zwar selbst keine »echten« Therapien durchgeführt; ich lernte aber über Seminare und »Quasitherapien« im College dort wieder anknüpfen, wo ich im Laufe meiner Verhaltenstherapiezeit aufgehört hatte zu überlegen: ich lernte, daß man verschiedene therapeutische Stile integrieren kann. Ich versuchte nun erstmals bewußt, Verhaltensanalyse in einer Art von Gesprächspsychotherapiestil durchzuführen. In Supervisionssitzungen wurde die Patient-Therapeut-Beziehung thematisiert. Der »Stil« von »Teacher's College« an der Columbia University ließ derartiges zu. – Auch ohne sehr präzise theoretische Begründung galt es als »gut«, mit verschiedenen Stilen zu experimentieren. Wir wurden zu gestalttherapeutischen Wochenenden ermuntert, wir sollten Ellis' »Friday-Night-Show« ansehen und unsere Lehrer exerzierten uns die Zusammenarbeit voll Eifer vor.

Als ich 1971 aus den USA zurückkam, versuchte ich im letzten Jahr meiner praktischen Tätigkeit an der Studentenberatungsstelle (sowie bei einem kurzen Gastspiel in einer Erziehungsberatungsstelle) ganz bewußt, einen klaren »Integrationsstil« zu kultivieren. Es war so etwas wie »Kognitive Verhaltenstherapie« (ohne daß der Begriff schon eingebürgert war), also: eine verstärkte Anstrengung, Gedanken und Gefühle mittels Verhaltenstherapie durchsichtig zu machen; Anwendung der Systematischen Desensibilisierung mit sehr subtilen kognitiven Variationen (wobei ich Meichenbaums Selbstinstruktionstraining im Grunde vorweggenommen habe!) und ein wenig auch das, was bei Ellis der »Sokratische Dialog« heißt. (Letzteres habe ich bald wieder – mangels Begeisterung der Klienten – abgeschafft.)

Der Tanz auf allen Hochzeiten: Psychoboom

In Berlin als Assistenzprofessor in die mir vorerst noch sehr fremde Welt eines Universitätsinstituts eingespannt, behandelte ich nur mehr wenige Klienten. Ich geriet in den Bannkreis des Psychobooms. Gestalttherapie und Themenzentrierte Interaktion, Encounter und Gestalt, Themenzentrierte Interaktion und psychoanalytische Gruppentherapie, Gruppendynamik: alles wollte ich kennenlernen, alles interessierte mich.

Meine wenigen Therapien verliefen recht unregelmäßig. Von jedem Wochenende brachte ich ein neues Patentrezept zurück, bei jedem Problem dachte ich an eine neue Therapieform. »Offiziell« und als Supervisorin vertrat ich eine durch einfühlsame Gespräche »modifizierte« Verhaltenstherapie. In meinen Therapien tanzte ich auf allen möglichen Hochzeiten. Ich glaube nicht, daß sie besonders gut waren, und hinterher bin ich meinen Klienten fast dankbar, daß sie mich und meine heterogene Therapie so geduldig und oft sogar erfolggekrönt über sich ergehen ließen.

Eines meiner liebsten »Opfer« damals war Hilde – eine ungemein schüchterne ungelernte Arbeiterin mit stark depressiven Zügen und extremen Kontakthemmungen. Wir hatten uns damals in einem Projekt ganz und gar der »Unterschichttherapie« verschrieben. Am liebsten behandelten wir Menschen, die von Psychoanalytikern abgelehnt worden waren. In diesem noch recht neuen und unstrukturierten Feld versuchte ich nun, mit meinen diffusen Identitäten zurechtzukommen. Hilde wurde verhaltensanalysiert, mit Rollenspiel bearbeitet, auf Phantasiereisen geschickt und schließlich mit Systematischer Desensibilisierung behandelt. Dies alles hat sie gut überstanden. Sie ließ sich – da der Hilfsarbeiterjob sie nicht befriedigte – als Erzieherin ausbilden und besuchte noch lange Zeit nach meiner Therapie eine »Gestalt«gruppe. Soweit ich beurteilen kann, ist sie wesentlich weniger gehemmt, hat jedoch nichts von einem »Psychofreak« an sich. Ob dies die Therapie bewirkt hat? Ich weiß es nicht. Sicher aber bin ich, daß eine in jenem Projekt mitarbeitende Sozialarbeiterin, die Hilde bei jedem neuen Schritt mit Rat und vor allem mit *Tat* zur Seite stand, mindestens ebensoviel beigetragen hat zu Hildes Entwicklung wie meine therapeutischen Bemühungen.

In der Zeit meiner extremen theoretischen Verunsicherung und großen Neugierde darauf, was alles »funktionieren« würde, machte ich bei einigen Klienten wichtige neue Erfahrungen.

Hilde, jene gehorsam-gehemmte junge Frau, versuchte ernsthaft, aus meinen vielen Angeboten »etwas zu machen«. Sie verweigerte nichts (ein Teil ihres Problems bestand ja in jenem »Gehorchenmüssen«) – sie war aber aufrichtig genug, mir auch nie Erfolgserlebnisse vorzuschwindeln, die sie nicht wirklich verspürte. Also lief ich mit einigen Methoden einfach ins Leere. Anderes konnte sie aufgreifen und verarbeiten. Mit Erschütterung erinnere ich mich noch immer einer bestimmten Sitzung, in der wir per Rollenspiel mit Videofeedback »Widersprechen und eigene Wünsche ausdrücken« übten. Hilde hatte damals bereits mit ihrer Erzieherinnenausbildung begonnen und stand im Zentrum ihrer Problematik: sie meinte, allen neuen Anforderungen hundertfünfzigprozentig genügen zu müssen und fühlte sich anfangs ganz unfähig dazu. Als wir ihre Schwierigkeiten – Stimmqualität, Gestik, Wortwahl – bei dieser Übung analysierten, brach es plötzlich fast als eine Art »Erleuchtung« aus ihr heraus: »Mich hat man ja nie gefragt, was ich denke . . .«, stammelte sie, »es hat ja immer nur geheißen: mach das, mach jenes . . . immer nur ›Du tust . . .‹, nie ›Willst du das tun?‹; wie soll ich das denn nun plötzlich können . . .« In diesen schlichten

Sätzen wurde nicht nur Hildes, sondern auch das Schicksal einer Klasse klar. Ich hatte Mühe, meine Tränen zurückzuhalten.

Es gab aber eine Reihe von Methoden, denen gegenüber sie verständnislos war: warum Träume etwas mit ihrem Leben zu tun haben sollten, wurde ihr damals nie recht klar. Lange Zeit auch konzipierte sie die Therapie als eine Art »Frage-und-Antwort-Spiel«. Nie hätte sie von sich aus etwas vorgebracht – sie nahm lange Zeit an, daß ich ihre Probleme erraten müsse. In diesem Fall hat meine wirre Methodenkombination einfach deshalb keinen großen Schaden angerichtet, weil Hilde offenbar einen gewissen inneren Fundus an Sicherheit hatte, sich ihrer Gefühle zu vergewissern.

Anders verlief die Therapie mit Marga. Von ihr – die man als extrem »hysterisch« bezeichnen könnte – wurden alle meine Angebote begeistert akzeptiert und augenblicklich positiv beantwortet. Ich konnte an Marga alles ausprobieren, was mir meine jeweiligen Wochenenden gerade beschert hatten: Elemente des Katathymen Bilderlebens, Gestaltübungen, Selbstinstruktionstherapie, Focusing – sie blieb von nichts verschont und hatte auch gleich immer wieder ganz »umwerfende« neue Einsichten und Erlebnisse. Bald ließ ich mich von ihrem Spiel mitreißen. Wenn ich jetzt hinterher unsere Therapie in einem Bild fassen will, fällt mir immer wieder ein: Marga als Dompteuse, die mich mit gekonntem Peitschenhieb zu immer höheren Sprüngen antreibt. Denn bald wurde klar: so erleuchtend Margas Einsichten auch waren – an ihrem Leben änderte sich rein gar nichts. Nach wie vor war sie unerträglich eifersüchtig, konnte sich nicht zum Arbeiten bringen, zerstritt sich mit allen Freunden, weil sie launisch und anspruchsvoll war ... u. ä. m. Ich aber versuchte mit immer neuen Methoden, ihren Ansprüchen Genüge zu tun – wurde immer wieder neu angespornt und immer wieder enttäuscht.

Wenn Margas Therapie trotzdem kein vollkommenes Desaster wurde, dann aus zwei Gründen: erstens lernte ich in meiner damals gerade einsetzenden Balint-Gruppe zwar spät, aber doch noch einigermaßen rechtzeitig das »Muster« jener Therapie kennen. Und zweitens – was vielleicht die Vorbedingung dafür war – lieferte Marga sich (vielleicht unbewußt) mir schließlich doch aus. Sie war nämlich – was sicher nur dem extrem Hysterischen mit seiner Zwiespältigkeit des Gefühlslebens gelingt –, bei einer ihrer Streitereien mit dem Ehemann auf die Idee gekommen, den Aufnahmeknopf des Kassettenrecorders zu drücken. So hörte ich nun in Distanz, in welcher Weise Marga mit sich und ihrem Partner umging: voll von Beziehungsfallen, Angeboten, die nicht wirklich eingelöst wurden, quälenden und demütigenden Unterwerfungsgesten ohne wirkliche Unterwerfung – mit einem Wort: es war das ganze Arsenal an Beziehungsangeboten, die sie auch mir gemacht hatte; bei mir allerdings war alles verpackt gewesen in harmonisierende Freundlichkeit und ungewöhnlich großen Charme. Nun – als Beobachterin – konnten sich auch meine lang angestauten Aggressionen endlich entladen, die Marga durch ihr reizendes Wesen gestoppt hatte. Ein Vortrag über »Angst und Aggression in der Therapeut-Klient-Beziehung« war daraufhin der Beginn einer bis jetzt andauernden theoretischen und praktischen Beschäftigung mit diesem Thema. Marga war der erste Anstoß dazu gewesen. Mein Methodenwirrwarr aber hatte ihr leider dazu verholfen, ihr volles Repertoire an selbstschädigenden Verhaltensweisen ausleben zu können.

Alte Wegweiser: die Beziehung wird wieder wichtig

Unter dem Einfluß meiner Balint-Gruppe lernte ich, den subtilen Mechanismen der Beziehung, in die eine Methode eingebaut ist, wiederum mehr Beachtung zu schenken. Ohne daß ich mich gezwungen fühlte, die psychoanalytische Methode zu praktizieren, mußte ich mich doch immer wieder kritisch fragen und fragen lassen, in welchem Beziehungsgeflecht eine bestimmte Methode ihre Wirkung entfalten könne. Ich lernte, verhaltenstherapeutische (aber auch andere) Methoden nicht nach dem Problem, sondern nach dem Typ des Beziehungsangebotes zu indizieren. Dies erscheint mir im Augenblick als die größte und schwierigste Kunst eines »integrativen« Therapeuten. Oft sieht es ja, oberflächlich betrachtet, so aus, als könne man »einfach alles machen« – irgendein Erfolg zeigt sich bei irgendeinem Klienten immer. Den Zynismus des wahllosen Herumprobierens habe ich aber nun einigermaßen überwunden – zwar »verbiete« ich mir keine der mir geläufigen und einigermaßen vernünftig erscheinenden Methoden. Ich will sie aber weder aufs Geratewohl noch »symptomzentriert« verwenden. Meine Überlegungen gehen daher immer wieder in die Richtung des »typischen« Beziehungsangebots, das mir ein Klient entgegenbringen kann – von daher stelle ich (oft genug leider falsch) meine Indikation für eine Methode.

Knut z. B., ein 32jähriger Arbeitsloser mit einigen schnell abgebrochenen Arbeits- und Ausbildungsversuchen, hatte noch nie in seinem Leben länger als zwei bis drei Monate hintereinander gearbeitet. Er lebte von Sozialhilfe und von seinen Eltern. Schwere depressive Verstimmungen zwangen ihn, tagelang im Bett zu bleiben. Seine Kontakte zu Gleichaltrigen waren sporadisch und unbefriedigend; eine intime Partnerschaft zu einer Frau hatte er noch nie erlebt. Natürlich war er durch ein geradezu verheerendes psychoanalytisches Gutachten von jeder Möglichkeit einer analytischen Therapie ausgeschlossen worden. (Ein sadistischer Gutachter, dem die analytische Terminologie vertraut ist, kann übrigens – wie ich leider ab und zu feststellen muß – einen Klienten sehr leicht zum Unmenschen abstempeln.) Knut also galt als früh narzißtisch gestörtes Monster ohne Selbst, gleichsam nur zusammengehalten von seinen Depressionen und ähnlich wirren Charakteristika.

Von Anfang an fiel mir zweierlei auf: Knut war ausgesprochen intelligent und hatte sich trotz seiner Arbeitsunwilligkeit eine Menge Bildung angeeignet; Knut war außerdem fähig zu »flirten« – was dem im Gutachten natürlich ebenfalls vorkommenden Wort schizoid-»border-line« gewissen Autoren nach eigentlich widersprach. Da ich Psychoanalytikern der rigiden Sorte gerne einen Streich spiele, nahm ich Knut sofort in Therapie – versehen mit der vagen Aussicht auf BSHG-Geld, aber vorderhand ohne einen Pfennig Honorar. Knut erwies sich trotz Intelligenz und leichten Flirtversuchen anfangs als fast unansprechbar. Er verwendete seine ganze nicht geringe Intelligenz darauf, mir klarzumachen, wie schrecklich andere (gesellschaftliche Institutionen, seine Eltern . . .) ihn betrogen hatten. Sein besonderer Haß galt dem Sozialamt und dem Berufsberater, die ihn natürlich immer wieder dazu bringen wollten, Arbeit anzunehmen. Schreiend, gestikulierend und in Gesetzestexten wühlend bewies er mir, wie viele seiner »rechtlich einwandfreien« Ansprüche nicht erfüllt worden waren; meine Versuche, ihn auf die »eigenen Anteile« zu bringen, brachten ihn natürlich erst recht in Harnisch. Versuche zur kognitiven Strukturierung, zu einem gestuften Aktivitätsprogramm, zum Aufbau gewisser sozialer Kompetenzen: alles wurde boykottiert. Ich überlegte gründlich. Knut wollte offenbar alles »geschenkt«. Wo ihm etwas verweigert wurde, wo andere von ihm forderten – da wurde er bockbeinig. Alle meine verhaltenstherapeutischen Versuche mußten bei ihm natürlich als »Forderung« ankommen und wurden dementsprechend frostig aufgenommen. Nur Schimpfen oder das Klagen über die Eltern (die er aber natürlich nach Herzenslust ausbeutete) brachte ihm offensichtlich Erleichterung und hielt ihn in der Therapie.

Durfte ich von einem Menschen, dessen zentrales Problem »Geben und Nehmen« war, etwas fordern? Ich entschied mich auf der Basis dieser Überlegung dafür, ihm erstmals nur zu »geben«. Das hieß konkret: keine einengenden, direktiven Methoden – nicht einmal Anforderungen an eine Analyse seiner Probleme; darüber hinaus hieß es: paradoxe Intervention. Letzteres aber betrachtete ich nicht als Trick – ich hielt mich bereit, ihm ernsthaft zuzugestehen, daß er ein Sozialfall bleiben dürfe, daß er sich an »der Gesellschaft« (dargestellt durch lebensbeeinträchtigende Eltern) rächen dürfe. Ich appellierte nicht an seine Stärke, ich plädierte für seine Schwäche – obwohl ich ihm mein hoffnungsfrohes Gutachten für das Sozialamt, in dem ich seine gute Intelligenz und gewisse soziale Kompetenzen herausgestrichen hatte, zu lesen gegeben hatte. Ich erzählte ihm auch freimütig, daß ich von einigen seiner Qualitäten überzeugt sei, daß ich aber angesichts der auch objektiv schwierigen Situation am Arbeitsmarkt davon ausginge, daß er in der Therapie nichts anderes lernen solle, als sich als Sozialfall seines Lebens zu erfreuen. Auf dieser Basis kräftigte er sich so, daß er – mit gestuften Kontaktübungen – nach einem Jahr Therapie seine ersten sexuellen Beziehungen zu einer Frau, die er schon längere Zeit hindurch bewundert hatte, aufnehmen konnte. Reflexionen über seine Biographie, Selbstinstruktionsversuche,

Rollenspiele: alles konnte in die Therapie eingebaut werden, als er sich nicht mehr von mir »ausgebeutet« fühlte. Wann immer aber meine Hoffnungen zu groß wurden, bremste er mich – sein Gespür für die »Forderungen« anderer war geradezu phänomenal. Gegen Ende der Therapie konnte er sich auch in der Reflexion mit diesem Thema auseinandersetzen. Interessant war in diesem Zusammenhang übrigens auch ein recht deprimierender Rückfall, als nach einem dreiviertel Jahr Therapie endlich vom BSHG Geld bewilligt wurde. Daß er die Stunden bis dahin von mir »geschenkt« bekommen hatte, war offensichtlich wichtig gewesen. Obwohl ich aus eigenem Egoismus heraus seit einiger Zeit gar nicht mehr begeistert bin von Therapien »ohne Geld« (früher hatte ich mir, in Institutionen arbeitend, gar nichts anderes vorstellen können), bezweifle ich doch jede allgemeine Maxime, die vom Klienten zum Beweis seiner »Motivation« Geld verlangt. Ich gestehe daher offen, daß vor allem ich selbst – vorausgesetzt, ein Klient ist finanziell abgesichert – Freude habe am Geld, das ich durch Therapien verdiene.

Nicht immer kann ich Methode und Beziehungsangebot (oder »Kliententyp«) so klar in einen Zusammenhang bringen wie im oben geschilderten Fall. Oft sind es recht intuitive Einfälle, ein »Gespür« für das, was geht, und das, was »völlig unmöglich« ist. Daß ich es z. B. sehr bald aufgab, Marias Arbeitsstörungen (ihr Eingangsproblem) mit Konzentrationsübungen zu behandeln und mich von ihr in jeder Stunde auf ein neues Problemfeld locken ließ, bereitete mir anfangs sogar ein schlechtes Gewissen. Sollte ich ihr nicht durch mehr Festigkeit und Konsequenz Erleichterung verschaffen im wahrhaft undurchdringlichen Dschungel ihrer Probleme? Kaum hatte ich einen roten Faden gefunden – schon ging er mir wieder verloren. Wie viel kam doch in den Therapiestunden auf: ihr Unwille zu jeder »entfremdenden« Arbeit, wobei sie immer das Gefühl hatte, jede Disziplin würde ihre »Spontaneität und Kreativität« zerstören; ihre diffusen agoraphoben Ängste, deretwillen sie sich oft wochenlang nicht in die Stadt getraute; ihre irrealen Eifersuchtsszenen, in denen sie wahrhaft »außer sich« geriet, ohne daß sie genau angeben konnte, warum sie eifersüchtig war – der Punkt ihres Wutausbruchs schien oft nicht das geringste mit ihrem bewußten Erleben zu tun zu haben; ihre vielen Erin-nerungen an die paranoide Mutter mit den skurrilen Ge- und Verboten ... Ich konnte nur wenig Muster in dieses Geflecht hineinbringen. Erstaunlicherweise wandelten sich anfängliches Mißtrauen und Abwehr gegen mich (noch nie hat eine Klientin so oft die Therapiestunde »vergessen« oder »verschlafen«, noch nie ist eine so konstant zu spät gekommen!) langsam in immer größeres Vertrauen. Sie kam pünktlich, erzählte von kleinen Fortschritten und ich konnte merken, daß sie die Therapiestun-den ungern verließ. Immer klarer formulierte sie ein größeres Wohlbefinden.

Ohne daß ich genau sagen könnte, was dies bewirkt hat, habe ich doch den Eindruck, daß die Tatsache meiner »Inkonse-quenz« ihr geholfen hat. Das Gefühl, von keinem verstanden zu werden, wäre sicherlich verstärkt worden, hätte ich auf mei-nem eigenen »roten Faden« beharrt. Da sie selbst alle Probleme und Sachverhalte virtuos verwirrte (darin vermutlich die Erbin ihrer paranoiden Mutter), zwang sie mich aber zu sehr genauen (oft verständnislosen) Fragen. Ich habe selten in einer Therapie so viel Unverständliches gehört und selten so viele Fragen ge-stellt. Vieles blieb mir für immer dunkel. In der Sprache meiner Balint-Gruppe war Maria ein »border-line«, dem ich durch mein geduldiges Hinhören und die Tatsache der Vermittlung meines Unverständnisses geholfen hatte, zwischen sich und der Welt zu unterscheiden. Letzteres leuchtet mir ein. Daß aber ein Mensch mit solch großem Interesse für das Schicksal anderer – wie Maria es hatte – ein »border-line« sein soll, wollte mir nicht in den Kopf. Allerdings hatte ich keine Veranlassung, die mit dem Wort »border-line« verknüpfte Abwertung von Klienten mitzumachen. Übrigens hat Maria Berlin verlassen, ohne daß es zu einer wirklichen Verbesserung ihrer Arbeitsfähigkeit kam. Ich weiß nicht genau, wie sie sich nach Beendigung der Thera-pie (deren Abschluß mehr den äußeren als den inneren Bedin-gungen gehorchte) jetzt fühlt. Da sie aber ab und zu Klienten zu mir schickt, scheint sie die Therapie selbst in positiver Erin-nerung behalten zu haben. In der letzten Stunde gab sie als Resümee an, daß ich ihr wohl am meisten durch eine einzige Bemerkung geholfen hatte; ich hätte einmal gesagt: »Sie sind also immer sehr alleine gewesen mit Ihrer Unsicherheit.« Bis heute kann ich nur spekulieren, was gerade diese doch eher triviale Feststellung in ihr ausgelöst hat – um so mehr, als Maria mir damals nichts mitgeteilt hatte von der Wirkung dieser Bemerkung.

Ich lernte immer besser, als Therapeutin »bescheiden« zu bleiben. Längst nicht alles kann aufgeklärt werden, viele Probleme bleiben in alter Hartnäckigkeit bestehen; oft werden Therapien abgebrochen, ohne daß dies unbedingt als Mißerfolg zu verstehen ist. In meinen Anfangszeiten buchte ich jeden Abbruch auf die Negativseite. Nun versuche ich, die Art des Abbruchs besser zu analysieren und sehe oft, daß Klienten dabei recht weise vorgehen. Daß Gerda genau nach derjenigen Therapiestunde, in der wir über ihre Bisexualität gesprochen hatten, die Therapie abbrach, ärgerte mich zuerst. Ich hatte Gerda als sympathisch und kultiviert empfunden und hätte ihr eine längere Therapiezeit gewünscht. Daß sie es nicht einmal über sich brachte, mir persönlich adieu zu sagen, sondern nur schriftlich mitteilte, ihr Ehemann hätte allzu große Angst vor einer Offenlegung auch seiner Probleme, weshalb sie ihn nicht kränken wolle, erschien mir sozusagen als »unter ihrem Niveau« gehandelt. Schließlich, so fand ich anfangs, sei sie eine psychologisch versierte, gebildete Frau, die zu ihren Motiven ein wenig mehr Fühlung hätte haben sollen. Dann ließ ich die letzte Stunde Revue passieren. Sie war betont undramatisch verlaufen, hatte aber für mich einige eklatante Ungereimtheiten zutage gebracht – so z. B. eine absolute Weigerung Gerdas, in ihrer Bisexualität irgendetwas Kompliziertes, Problematisches zu sehen. Über meine (möglicherweise nicht besonders geschickten) Fragen, ob diese Diskrepanz zu herrschenden Normen denn zu keiner Zeit für sie problematisch gewesen sei – ganz abgesehen von eventuellen eigenen Konflikten – schien sie ehrlich überrascht. Nein – wirklich nicht; Sexualität sei schön, wenn sie Ausdruck eines echten Verständnisses zwischen Menschen sei. Ob Mann oder Frau: dies sei doch wirklich egal ... etc. etc.

Ich bekam das Gefühl, gegen eine Wand anzulaufen. Vielerlei kleine Beweise einer aufkeimenden Verliebtheit Gerdas kamen mir in den Sinn. Je länger ich darüber nachdachte, desto richtiger erschien mir Gerdas Verhalten. Sie hatte immer wieder betont, daß sie problemzentriert (es ging um phobische Ängste in sozialen Situationen) arbeiten wolle. Zwar hatte es sich für mich als unmöglich erwiesen, dies ohne Einbeziehung eines weiteren biographischen Kontextes zu tun – aber war es nicht völlig verständlich und richtig, daß sie ein vermutlich zentrales Lebensproblem, mit dem sie sich arrangiert hatte, nicht heraufbeschwören wollte? Gerade für Gerda war es ungeheuer wichtig, das »Gesicht zu wahren« – warum sollte eine Therapie dies zerstören?

Ich habe gelernt abzuschätzen, wann die problematische Lebenssituation, die jemanden in die Therapie bringt, weniger existenzbedrohend ist als die vermutliche Aufdeckung zentraler Probleme, mit denen man sich arrangiert hat. Offensichtlich läßt es sich mit manch wild verwachsener Stelle besser leben, als Psychoboomfreaks meinen. Seit das Ideal der totalen Offenheit, des »Mit-sich-selbst-in-Berührung-Kommens«, des freien »Zugangs zu sich selbst« in Mode gekommen ist, wird manche Therapie dadurch erschwert, daß »Psychos« die oben genannten Forderungen zwar dauernd auf der Zunge tragen, in ihrem Inneren jedoch dieselbe Angst davor haben wie altmodische und schon ein wenig verzopft wirkende Klienten älterer Jahrgänge. Das Ergebnis bei den »Psychos« ist oft eine krampfhaft langwierige Therapie ohne Ergebnis. Manchmal lobe ich mir da höflich-konventionelle Therapieabbrüche wie bei Gerda. Man wahrt das Gesicht und ist im Grunde genommen ehrlicher. Ich möchte nicht verschweigen, daß ich im ersten Augenblick des Mißmuts über Gerda im Geiste eine knapp »aufdeckende« Floskel formulierte, die ich ihr schreiben wollte. Ich habe dies aber Gott sei Dank unterlassen.

Führen alle Wege nach Rom? – Über verschiedene Methoden bei verschiedenen Problemen und verschiedenen Zielen

Ein besonderes Kapitel stellte in jener Zeit, in der ich vorwiegend Studenten therapierte, das Problem von Leistungsverweigerung/Leistungsangst dar. Sehr viele unserer Klienten kamen ihrer »Arbeitsstörungen« wegen in die Beratungsstelle. Ich las

viel über verhaltenstherapeutische Methoden: Konzentrationsübungen, »Stimuluskontrolle« (so verdreht bezeichneten wir
die einfache Tatsache, daß man womöglich immer am selben
Ort und ohne ablenkendes Material arbeiten soll!), Belohnung
nach jeweils kurzen Arbeitszeiten, Tagesprotokolle etc. etc. Da
die Klagen der Studenten oft recht gleichförmig lauteten, rich-
teten wir auch »Trainingskurse« ein, in denen man richtig arbeiten lernen konnte.

Auf einem von psychoanalytischer Seite dominierten Wo-
chenendseminar über »Leistungsstörungen bei Studenten« erfuhr ich, daß es sich bei der Leistungsstörung meist um »Grö-
ßenphantasien« handle, die den Studenten am Arbeiten hinde-
re. Leider hatte ich in der damaligen Phase gerade eine heftige
Aversion gegenüber Psychoanalytikern, weshalb ich arrogant
behauptete, den »Sinn« jener Aussage nicht zu begreifen. Hätte
ich mich damit abgegeben, wären mir einige Umwege erspart
geblieben.

Unglücklicherweise hatten wir gerade bei den Leistungsstörungen oft erstaunlich gute Erfolge mit unseren Methoden. Vor
allem unter dem Druck der nahenden Prüfung sowie drohendem BAföG-Entzug ließen sich rasch Erfolge erzielen – und
natürlich war uns nach überstandenem Examen oder abgegebe-
ner Seminararbeit der Dank der Studenten sicher. Wie viele
Blumensträuße und Pralinenschachteln habe ich jeweils in der
Examenszeit erhalten – eigentlich hätten wir zufrieden sein
müssen! Kritikern unserer »oberflächlichen« Methoden hielten
wir in etwas nebulöser, aber – wieder einmal – wissenschaftlich
klingender Sprache entgegen, daß sich im Laufe der Zeit das
Leistungsstreben »internalisiere«, wobei wir vermutlich daran
dachten, daß sich im Laufe der Entwicklung auch bei kleinen
Kindern äußere Ver- und Gebote als »innere« Stimme präsentieren. (Die Dubiosität jener Analogie, selbst wenn sie stimmen
sollte, wurde mir übrigens erst viel später bewußt.) Damals
konnte ich nur feststellen, daß trotz dieser angeblichen Interna-
lisierung und trotz der Freude über ein geglücktes Examen der
Weg dorthin immer ein mühevoller, wenig freudiger war. Ar-
beitsstörungstherapien betrachtete ich immer als »Kärrnerar-
beit« für mich selbst. Vor diesen Stunden spürte ich ein leichtes
Unbehagen: wie oft brach das ganze ausgeklügelte System zu-

sammen! – Wie wenig glücklich schienen meine Klienten die ganze Zeit hindurch! Ich konnte die Mühe spüren; die Zähigkeit und Langeweile dieser unwillig-arbeitsvollen Tage übertrug sich mir sehr deutlich. Die Therapien selbst waren langweilig: ich kam mir vor wie ein ewig unzufriedener Lehrer, der unnachgiebig alle Unterlassungssünden aufspürt.

Unter dem Eindruck einer Focusinggruppe behandelte ich einige Jahre später einen sehr ehrgeizigen Chemiestudenten namens Kai, der über extreme Arbeitsunlust klagte. Da er sich meist selbst durch allerlei Tricks (und die Angst vor drohendem Versagen) zum Arbeiten brachte, konnte ich ihm mit meinen verhaltenstherapeutischen Methoden wenig bieten. Wir gingen dafür – in entspanntem Zustand – in seine Angst vor der Arbeit »hinein«. Er ließ seiner Phantasie freien Lauf und regredierte offensichtlich immer mehr. Da gingen mir die Augen plötzlich auf: »Ich will Weltbester sein«, stammelte er, »den Nobelpreis will ich bekommen . . . alle werden sehen, wer ich bin . . . ein Denkmal werde ich bekommen . . .«, und beim Gedanken an sein Labor und die eigene Examensarbeit: »alles, was ich mache, ist banal . . . jeder Laborant bringt das zustande . . . das ist alles absoluter Mist . . .« etc. ect. Als ich ihn wieder die Reise vom Bett (das zu verlassen ihm jeden Tag ungeheuer schwerfiel) zum Labor und zurück machen ließ, veränderte sich sein Erleben langsam. »Das macht Spaß, das Experimentieren«, »das ist interessant . . .« rief er. »Wenn ich nur kein Denkmal sein müßte! Alle anderen sind viel besser als ich . . . aber das Arbeiten macht Spaß!«

Wir hatten uns schon längere Zeit vorher immer wieder mit seinem leistungsfordernden Vater beschäftigt, für den er stellvertretend die »große Karriere« machen sollte. Da er offenbar wirklich begabt und einfallsreich war, hatte er auch bald Erfolge im Chemiestudium vorzuweisen gehabt. Wenn die ganze Sache nur mehr Spaß gemacht hätte . . .! Uns wurde beiden klar, daß Kai ganz offensichtlich von seiner Arbeit nicht nur nicht überfordert, ja: daß er dazu wie geschaffen war. Er besaß genau jenes richtige Maß an Freude am praktischen Herumprobieren, kombiniert mit abstrakter Begabung, die den guten Chemiker ausmachen. Die strikten ichfremden Forderungen des karrieresüchtigen Vaters mit seinen vielen subtilen Drohungen und Erpressungen (»Du bist mein Stolz – wenn schon deine Brüder eine Enttäuschung sind – an dir kann ich mich auch im Alter noch erfreuen!«... usf.) hatten ihm den genuinen Spaß an einer Arbeit, für die er geschaffen schien, verdorben. Die selbst verordneten quasiverhaltenstherapeutischen Tricks hatten nur die Forderungen des Vaters widergespiegelt und brachten ihm daher nur in Ausnahmefällen Befriedigung. Wir kamen überein, daß er nie mehr arbeiten solle, wenn er dazu keine Lust hätte. Wenngleich die Realität des Universitätslebens der Absolutheit jenes Übereinkommens Grenzen setzte, war für Kai damit die Marschrichtung klar. Nun hatten wir offenbar den richtigen Punkt erwischt: Kai konnte die Arbeit in seine Persönlichkeit integrieren, er war nun wirklich »intrinsisch motiviert« und arbeitete nicht mehr für seinen ehrgeizigen Vater.

Es müssen, denke ich, sehr viele Zufälle zusammentreffen, damit verhaltenstherapeutische Methoden solche Erlebnisse bewirken können. Meist hatten wir damit den Arm der ichfremden Instanzen einfach verlängert – kein Wunder, daß Arbeit dann keinen Spaß machte.

Natürlich gab es in den späten sechziger Jahren an der Universität viele Gesellschaftsanalysen, die klar machten, warum »entfremdete« Arbeit keine Freude machen kann. Mir wollte nie recht einleuchten, weshalb gerade intellektuelle Arbeit (noch dazu im Ausbildungsstadium) solche »Entfremdung« in sich bergen sollte – alles in allem schienen mir die Studenten mit ihrer freien Arbeitszeit und einem in vielen Fächern nicht allzu großen Leistungsdruck gegenüber ihren berufstätigen Altersgenossen doch sehr privilegiert. Es war zwar wenig populär, dies zu äußern – aber ich konnte meine Eindrücke in dieser Richtung doch nicht ganz verbergen. Noch dazu, wo gerade die progressiven unter den Studenten damals noch sehr viele Möglichkeiten sahen, die Gesellschaft zu verändern: inner- und außerhalb der Institutionen und gerade vermittels ihres Wissens. Die Geschichte mit der »Entfremdung« schien mir für die meisten Fälle allzu weit hergeholt. Auf einer anderen Ebene allerdings konnte man durchaus auf die »überindividuellen« Determinanten zurückgreifen: wenn man nämlich die allgemeine Leistungsorientierung der Wirtschaftswunderzeit, die von den Eltern meiner Klienten übertragen wurde, in Betracht zog. Die

Überpointierung des Karrieregedankens, der schreckliche Ehrgeiz »für die Kinder«: das konnte schon sehr viel an natürlicher Motivation zerstören und den Spaß am Denken und Lernen verderben. Viele marxistisch gesinnte Studenten haben zu jener Zeit erzählt, daß ihnen – da »nicht entfremdet« – das freie Arbeiten in »Kapitalkursen« u. ä. viel Spaß mache und sich dabei keine Konzentrationsstörungen einstellten. Hier konnte sich, unbehindert vom elterlichen Ehrgeiz, ja geradezu gegen ihn gerichtet, die Freude am Denken und Spekulieren breitmachen. Kein Wunder, daß hier alles klappte! In einem anderen Sinn als von vielen gemeint, war in diesen Gruppen oft die »Entfremdung« wirklich aufgehoben. Leider hat sie sich sehr oft wieder eingeschlichen, da es meist nicht lange dauerte, bis man der »beste Marxist« sein wollte. Auch hier wurde man Vater und Mutter also nicht los!

Meine eigene Maxime bei der Therapie der Arbeitsstörung aber lautet jetzt für den Klienten: sei (in Gedanken oder real) »faul« – und sieh zu, was dann in dir passiert! An diesem Material setzen wir dann an.

Ein anderes Problem, das uns im studentischen Milieu sehr häufig beschäftigte, war das der Sexualängste. Viele der sexuell noch unerfahrenen jungen Leute hatten Angst vor dem Geschlechtsverkehr; sie fürchteten sexuelles Versagen, hatten Potenzstörungen und waren sich oft im unklaren darüber, welche Normen des Sexuallebens für sie eigentlich gelten sollten.

Wir waren gerade auf diesem Gebiet begeistert von den Möglichkeiten der Verhaltenstherapie. Mit Systematischer Desensibilisierung, abgestuften Sexualübungen à la Masters und Johnson und einer guten Portion Aufklärung kamen wir oft wunderbar zurecht. Besonders entzückt waren wir über den Fall eines noch sehr jungen Mannes, der mit seinen Sexualängsten irrtümlich in die Sprechstunde der Berufsberaterin geraten war. Jene – eine ältere und würdige Dame – hatte bei Teamsitzungen wohl einiges aufgeschnappt von verhaltenstherapeutischem Vorgehen bei Potenzschwierigkeiten. Also beruhigte sie den jungen Mann ein wenig, überwies ihn an mich und gab ihm überdies noch einige freundliche Ratschläge mit auf den Weg, etwa: nichts überstürzen, kein Druck und Zwang, Wartenkönnen etc.

Als dieser Student schließlich eine Woche später in meine Sprechstunde kam, eröffnete er mir, daß eine Beratung eigentlich nicht mehr nötig sei. Die »Therapeutin« der vorigen Woche habe ihm schon solch gute Ratschläge gegeben, daß bisher alles zufriedenstellend gelaufen sei.

Solche Blitzerfolge erlebten wir immer wieder.

Hilflos allerdings fühlten wir uns, wenn sich nach den ersten zwei bis drei Therapiestunden nichts änderte. Wir hatten nämlich dann im Grunde wenig mehr zu bieten. Allenfalls machten wir noch etwas kleinere Übungsschritte, schalteten vor den »in-vivo-Übungen« eine weitere Desensibilisierung ein u. ä. m. Das Prinzip der Angstreduktion blieb das gleiche; immer wieder aber gab es Sexualstörungen, die jeder Behandlung trotzten. Ich bilde mir ein, daß ich bald schon in der zweiten Stunde wußte, ob es klappen würde oder nicht. War in der zweiten Stunde *gar* keine Erleichterung eingetreten, dann standen die Chancen für die Therapie schlecht.

Bettina war ein solcher Fall. Zweiundzwanzigjährig, hübsch und strahlend verliebt in einen sehr attraktiven Kommilitonen, erschien es äußerst merkwürdig, daß sie vor dem intimen Beisammensein solch panische Angst hatte. Seit Monaten schluckte sie die Antibabypille und war noch immer Jungfrau. An ihrem Freund, einem sexuell schon erfahrenen Jungen, lag es offensichtlich nicht. Er bewies viel Geduld und war mit jeder Verzögerung einverstanden. Daß er mit der Zeit trotzdem ungeduldig und ein wenig mißmutig wurde: wer hätte ihm das verargen können? Er blieb Bettina aber treu, weil er der Meinung war, daß sie sich in jeder Hinsicht außer der sexuellen wunderbar verstünden. Bettina absolvierte eine Systematische Desensibilisierung in jeder nur möglichen Nuancierung; wir besprachen sehr fein abgestufte sexuelle Übungen. An ihrer Angst änderte sich aber nichts. Kaum war sie mit ihrem Freund alleine und wollte mit ihren Übungen beginnen, schnürte die Angst ihr die Kehle zu. Sie bekam Schwindelanfälle, mußte erbrechen und machte sich dauernd die heftigsten Vorwürfe. Innerhalb eines verhaltenstherapeutischen Settings fiel mir einfach nichts mehr ein. Ihre Biographie erschien in sexueller Hinsicht nicht weiter auffallend: die übliche, etwas enge deutsche Kleinbürgermoral – gemildert durch vernünftige Aufklärung im Unterricht einer sehr bewunderten Religionslehrerin. Bettina ging es immer schlechter. Sie konnte nicht mehr schlafen, sie wurde depressiv. Der Freund wollte sich von ihr trennen, aber sie trauerte kaum mehr um ihn.

Eines Abends wurde ich vom Studentenwohnheim angerufen – Bettina hätte einen »Nervenzusammenbruch«, es müsse etwas mit ihr geschehen. Ich fand sie als schluchzendes Häufchen vor. Sie trotzte jedem Zuspruch und ich holte den Arzt zu Hilfe, der ihr eine Valiumspritze gab. Ich blieb die halbe Nacht bei ihr und arrangierte eine Überweisung in die Psychosomatikklinik. Nach drei Monaten kam sie wieder, um sich für die Überweisung zu bedanken – Therapie allerdings wolle sie bei mir nicht mehr machen. Sie sah zufrieden und ausgeglichen aus. Sie ahne nun, so meinte sie, wo ihr Problem liegen könne. Sie habe eine Art »kurze Analyse« bei einem Therapeuten absolviert (ich glaube, daß es sich um etwas Ähnliches wie das katathyme Bilderleben gehandelt haben muß) und dabei verstanden, daß sie sich selbst immer nur als kleinen Jungen sehen könne. Alle Bilder, in denen sie sich selbst phantasiert habe, seien Jungenbilder gewesen. Sie wolle nun eine »richtige« Therapie machen, um sich als Frau zu entdecken. Ich schwankte zwischen Erleichterung und Kränkung. Es ließ sich aber nicht leugnen, daß meine Therapie für Bettina eben keine »richtige« gewesen war. Andererseits war ich froh über Bettinas Wohlergehen. Ich mauschelte mich innerlich über das Debakel hinweg und redete mir ein, daß ich durch Verhaltenstherapie zumindest eine Eingangsmotivation zur Veränderung geschaffen hätte.

Bettina besuchte mich fünf oder sechs Jahre später noch einmal. Sie wirkte gelöst und erzählte viel von ihrem Beruf als Lehrerin. Schließlich wagte ich es, sie nach ihrer Partnerschaft zu fragen. Sie grinste ein wenig verschmitzt und meinte: »Das hab ich in der Therapie zu einem guten Ende hingekriegt – mein Freund und ich leben seit zwei Jahren fest zusammen. Vielleicht werden wir bald ein Kind haben.« – Ich wollte nicht fragen, wie es zur Lösung ihrer Probleme gekommen war, obwohl mich die »Kleine-Jungen«-Problematik, die mir so vollständig entgangen war, natürlich interessiert hätte.

Ein Problem, das sich durch meine ganze therapeutische Berufstätigkeit hindurchzieht, ist das des Therapieziels. Wie viele

Diskussionen habe ich mit Studenten und Kollegen über das »Therapieziel« geführt! Ich habe lange Zeit hindurch Mühe gehabt, darin überhaupt ein »Problem« zu sehen. Anfangs, in meiner »quasi-analytischen« Periode, tauchte die Frage gar nicht auf: ich nahm an, daß sich das Ziel mit wachsender Reife »von selbst« herausstellen würde.

Globale Vorstellungen wie »Arbeitsfähigkeit«, »genitale Reife« u. ä. m. spielten bei mir für den therapeutischen Prozeß selbst keine Rolle. Allenfalls konnte man theoretisch darüber sinnieren. Ich glaube aber nicht, daß ich damals mit meinen Klienten wirklich darüber gesprochen habe. Ich erinnere mich allerdings eines Vorkommnisses in meiner Lehranalyse: für mich ziemlich unvermittelt fragte mich mein Analytiker, was ich persönlich denn eigentlich von dieser Analyse profitieren wolle? Ich weiß, daß ich diese Frage anfangs gar nicht richtig begriffen habe. Er erläuterte sie daher: »Nun, manche Leute wollten durch die Analyse im Beruf tüchtiger werden und mehr Geld verdienen, andere möchten sexuell attraktiver werden … u. ä. m.« Ich wußte keine Antwort, worauf er sagte: »Es ist vielleicht gut, wenn Sie sich das merken – wie schwer es ist, für sich selbst Ziele aufzustellen … vielleicht will man sich gar nicht so sehr ändern, wie man meint!« Dieser Satz blieb zwar haften, ich konnte damals aber wenig damit anfangen. Erst viel später wurde mir seine Bedeutung klarer. Am Beginn der verhaltenstherapeutischen Periode aber waren wir alle stolz darauf, die schwammigen »globalen« Ziele der Psychoanalyse durch konkrete, verhaltensbezogene ersetzen zu können. Dies wurde ja als ein ganz besonders wichtiger Vorteil gegenüber der Psychoanalyse angesehen.

Die Frage, wie man denn zu diesen Zielen gelange, hielt ich für unerheblich. Guten Gewissens verteidigte ich mich, wenn uns vorgeworfen wurde, Verhaltenstherapeuten »manipulierten« ihre Klienten auf gesellschaftskonforme Ziele hin oder auch: sie wären – da sie keine Normen verträten – Handlanger auch unmoralischer Zielsetzungen. Die andauernd zitierten Beispiele wie: »Was tut ein Verhaltenstherapeut, wenn ihn der Klient bittet, er möge ihm die Hemmungen, im Kaufhaus zu klauen, wegkonditionieren?« oder: » … und wenn einer dich bittet, ihm behilflich zu sein, einen anderen zu töten?« bzw.:

»... wenn ein Chef mittels Selbstbehauptungstraining seine Angestellten noch besser ausbeuten möchte?« ... erschienen mir irreal und dämlich. Natürlich hatte noch nie ein Klient derartige Wünsche geäußert. Die Zielsetzungen unserer Klienten waren immer »vernünftig«, sie wollten irrationale Ängste abbauen, bessere soziale Beziehungen erreichen, sexuelle Schwierigkeiten beheben und was dergleichen mehr an einsehbaren Zielen in einer Therapie auftaucht.

Immer wieder hielt ich Kritikern der Verhaltenstherapie vor Augen, daß gerade die transparente, partnerschaftliche Diskussion über Therapieziele die »Macht« des Therapeuten verringert. Meine Erfahrungen gingen denn auch alle in dieselbe Richtung: Gespräche über die konkreten »Ziele« einer Therapie verliefen nie problematisch, man konnte sich immer »einigen«. Schwierig war höchstens der Prozeß der »Operationalisierung« von psychischen Störungen. Die Ziele aber ergaben sich dann sozusagen »von selbst«. Klagte einer über Minderwertigkeitskomplexe, dann wurde eben erhoben, in welchen spezifischen Situationen er sich »minderwertig« vorkam; diese Situationen wurden auf adäquates/inadäquates Verhalten hin analysiert – und schon hatte man das Therapieziel in der Tasche.

Ich konnte nichts Problematisches daran sehen, wenn Renates »Minderwertigkeitsgefühle« so operationalisiert wurden, daß wir feststellten, sie fühle sich a) körperlich wenig attraktiv und wage es daher b) nie, mit männlichen Kollegen Kontakte anzuknüpfen. Die Therapieziele wurden also unterteilt: 1. Renate mußte lernen, sich attraktiver herzurichten; 2. Renate mußte in gestuften »Kontaktübungen« junge Männer ansprechen. Zur Vorbereitung gab es Rollenspiele. Bezüglich der Attraktivität berief ich zwei besonders schicke und modebewußte Praktikantinnen zur gemeinsamen »Beratung« und in »Brigitte«-Manier versuchten wir nun, eine besser gekleidete, besser frisierte Renate »herzustellen«. Renate selbst half eifrig mit und freute sich über das Interesse, das ihre äußere Person erregte. Sicher war es kein Zufall, daß sie nun auch sehr viel mehr Mut fand, sich mit Männern anzufreunden. Und natürlich dauerte es nicht lange, und die Initiative ging auch von einigen dieser Männer aus. Man konnte uns natürlich dabei »Oberflächlichkeit« vorwerfen. War das überhaupt noch Therapie? Bekommt jemand wirklich mehr »sexuelle Identität«, wenn man ihn hübsch anzieht und frisiert? Der Erfolg sprach aber eindeutig für uns, und Renate tat durch unser Eingreifen einen »großen Schritt vorwärts«, wie sie immer wieder versicherte. Mit meiner Behandlung ihrer Problematik hatte ich sie außerdem sicher nicht »überrumpelt« – wo lag also der Hase im Pfeffer?

Bis heute, so muß ich gestehen, kann ich mich einigermaßen ungetrübten Herzens an Renates Erfolgen freuen. Ich weiß nicht, wie »tief« ihre Veränderung war; ihre Einsicht in die eigene Problematik ging sicher andere Wege, als wenn wir ihre Beziehung zum Vater (zur Mutter) und die mögliche Verleugnung ihrer Geschlechteridentität infolge eines Eifersuchtsdramas mit dem Bruder analysiert hätten. Trotzdem hatte sie natürlich die Chance, ihr nunmehr verändertes Verhalten und Erleben auch reflektierend zu begleiten. Sie hat dies natürlich auch getan, aber sicher nicht in der Form, in der eine Psychoanalyse sie dazu gebracht hätte. Wären die Erfolge dann stabiler gewesen? – ich weiß es nicht.

Nur: das erfolgreiche Vorgehen im Fall Renate ließ sich offensichtlich nicht auf ähnliche Fälle übertragen. Was auch hätten wir mit der außerordentlich hübschen Andrea anfangen sollen, die – ungeachtet aller Beteuerungen und Bewunderung – steif und fest behauptete, »häßlich« zu sein? Zwar war ihr klar, daß diese Einstellung von niemandem geteilt wurde; sie bildete sich aber ein, daß sie dies nur ihren kosmetischen »Kniffen« zu verdanken habe. Sähe man sie einmal ungeschminkt, dann würden alle erschauern wie beim Anblick des Basilisken. Offensichtlich hatten wir es hier mit einem viel unrealistischeren Selbstbild zu tun und weder verdeckte Konditionierung (also z. B.: sich beim Hineingreifen in die Zigarettenschachtel immer wieder zu sagen: »Ich bin hübsch«) noch das Auflisten aller positiven und negativen Positionen ihres Äußeren konnten ihr Distanz zu ihrer eingebildeten »Häßlichkeit« verschaffen. Da wir keine Kategorien hatten, um das Zustandekommen jener »Minderwertigkeitsgefühle« zu fassen, konnten wir auch keine differentielle Indikation zur Behandlung dieses Problems setzen. Es schien ziemlich »zufällig«, daß das, was bei Renate gewirkt hatte, für Andrea nicht anwendbar war. Noch merkwürdiger war der Fall bei Eva, die – ebenso wie Renate – wenig Geschick zeigte, sich attraktiv aufzumachen, und darunter litt. Als ich meine »Schönheitskommission« einberief, brach Eva aber in bitteres Schluchzen aus: Das sei das Allerletzte ... das Schrecklichste ... nur die häßlichsten Entlein würde man durch neue Frisuren und Kleider zurechtputzen ... Schönheit müsse etwas »von innen« sein ...

Nicht immer war ich damit am Ende meines Lateins. Mit Eva z. B. habe ich sehr viele Gespräche geführt, die um ihre Familie kreisten, ihre Stellung als »Königskind«, dem – der Familiensaga zufolge – alle Gaben in die Wiege gelegt worden waren und das in der Pubertät dann plötzlich durch Akne und zu rasche Gewichtszunahme das bewundernde Interesse dieser Familie verloren hatte. Diese Gespräche aber standen ganz und gar nicht mehr unter dem Zeichen einer konkreten Zielsetzung; sie hatten auch nichts mehr von Verhaltenstherapie an sich. Ich hatte ihretwegen auch fast ein »schlechtes Gewissen« – gemildert allerdings durch die Freude, daß Eva sich nach und nach besser fühlte und ihre (schon längst nicht mehr reale) »Häßlichkeit« als Fiktion erkannte. Ohne große Beratung zog sie sich nach einiger Zeit auch schicker an und konnte sich über Erfolglosigkeit bei Männern nicht mehr beklagen.

Diesen Fall (und ähnliche) »vergaß« ich ganz einfach bei der Verteidigung meiner verhaltenstherapeutisch orientierten »transparenten, partnerschaftlichen« Zielsetzung.

Auch Klaus, ein homosexueller Medizinstudent, war auf den »ersten Blick« ein klarer Fall, sogar besonders geeignet, um die Freizügigkeit verhaltenstherapeutischer Zielsetzung zu demonstrieren. Er brachte »sein« Ziel klar formuliert in die Therapie: er wollte von der Homosexualität wegkommen und sich in die »heterosexuelle Welt« begeben. Sein Lebenstraum bestand im bürgerlichen Setting einer Ehe mit Kindern. Da er, moralischer Bedenken wegen, noch nie mit einem Mann sexuellen Kontakt gehabt hatte, seine Homosexualität also nur in der Phantasie auslebte; da er außerdem auch an Frauen Gefallen fand (ohne, daß er auch mit einer von ihnen je geschlafen hätte), übernahm ich sein Therapieziel ohne Bedenken. Unser Therapieprogramm hieß also: stufenweiser Aufbau von heterosexuellen Beziehungen. Er mußte mit Phantasiebildern von Frauen oder weiblichen Pornobildern onanieren, er versuchte auf allen möglichen Wegen Kontaktaufnahme zu Frauen und da er ein sehr kluger und charmanter junger Mann war, erreichte er sein Ziel auch ohne große Schwierigkeiten. Tatsächlich heiratete er und hatte mit seiner (nichtsahnenden) Frau ein Kind. Als er mich später besuchte, gestand er mir, daß trotz sexuell klaglosen »Funktionierens« sein eigentliches und spontanes Interesse noch immer jungen Männern galt. Er wüßte nicht recht, wie er das in seine Ehe integrieren könnte, fürchte außerdem eine Entdeckung seiner Homosexualität durch seine Frau ... Er schien nicht sehr glücklich. Da wurde mir klar, daß die fraglose Übernahme seines Therapieziels nicht unbedingt so unproblematisch gewesen war, wie ich gedacht hatte. Wäre es nicht vielmehr meine Pflicht gewesen, dieses Ziel zu hinterfragen? War der dahinter stehende Anpassungswunsch wirklich unbedingt zu bejahen? Wäre sein Leben als Homosexueller letztlich nicht aufrichtiger verlaufen? Ich weiß darauf keine Antwort. Ich weiß aber, daß ich mich heutzutage nie mehr mit einem Therapieziel nur deshalb zufriedengeben würde, weil es »normal« erscheint.

Die Vorgabe eines Therapieziels im Sinne einer Abwehr tieferer Probleme ist nicht immer auszuschließen. Befaßt man sich voreilig mit diesem Ziel und läßt ein Therapieprogramm darauf basieren, dann kommt der Therapeut unter Umständen nie mehr zu den »eigentlichen« Problemen. Ein besonders tragisches Beispiel dafür gibt es in der Literatur (Psychologie Heute, 2/1982): die Behandlung eines Sexualmörders durch den Aufbau sozialer Kompetenzen. Nach geglückter Therapie und daraufhin erfolgter Freilassung brachte dieser sofort zwei Kinder um. Es fällt mir nicht schwer, die Überlegungen des – sicher verhaltenstherapeutisch orientierten – Therapeuten zur Zielsetzung nachzuvollziehen.

In dem Maß, in dem es übrigens bekannt wurde, daß man Selbstvertrauen und Durchsetzungskraft »trainieren« könne, ja, daß es dafür sogar eigene Programme gäbe, stieg natürlich auch die Nachfrage danach. Wer hätte es schon nicht nötig, sich »besser durchzusetzen«? Ich glaube, daß die Formulierung dieses Therapiezieles im Lauf der Zeit sich ebenso abnutzte wie es in der Psychoanalyse wohl der Wunsch sein mag, »sich mit der Kindheit auseinanderzusetzen«. Dieses Ziel dient dann eher der

Verdeckung von Problemen und hat nur mehr in undurchsichtiger Weise mit gefühlten Mängeln der eigenen Person zu tun.

Zwar habe ich gerade beim »Durchsetzungstraining« nie die von Kritikern immer wieder geäußerte Furcht geteilt, hier könne man es üben, »rücksichtslos« zu sein. Tatsächlich spürt man bei denjenigen, die den Wunsch nach mehr Durchsetzungsvermögen aussprechen, meist sehr rasch, daß sie wirklich Mühe haben, eigene Forderungen durchzusetzen, die Gefahr der »Rücksichtslosigkeit« sehe ich in den seltensten Fällen. Was dahinter steht, kann aber sehr verschiedenartig sein, und ich halte es für fahrlässig, auf das Therapieziel »Durchsetzungsvermögen« einzugehen, ohne die dahinterliegende Bedürfnisstruktur zu durchleuchten.

Alle diese Erfahrungen und Erlebnisse brachten es mit sich, daß ich konkreten »Therapiezielen« gegenüber immer vorsichtiger wurde. Je weniger verhaltenstherapeutisch ich vorging (und das heißt: je mehr ich den therapeutischen Prozeß vom Klienten selbst steuern ließ), desto häufiger erlebte ich große Diskrepanzen zwischen dem, was anfangs als das »Therapieziel« gegolten hatte und dem, was schließlich erreicht und bejaht wurde.

Die perfektionistische, als Journalistin recht erfolgreiche Anna wollte mittels Therapie erreichen, daß lästige Konzentrationsstörungen, die mit Perioden der Lethargie wechselten, verschwinden sollten. Sie fürchtete um ihre berufliche Zukunft. Konnte man wirklich sagen, sie habe ihr »Therapieziel erreicht«, als sie sich nach einem dreiviertel Jahr mit den Worten verabschiedete: »Ich weiß gar nicht, ob ich noch lange in dem Job bleibe! – Es gibt so viele andere spannende Möglichkeiten im Leben!«

Und Stefan: Was war aus seinem festen Diktum zu Beginn der Therapie geworden, als er noch gesagt hatte: »Für mich ist die Ehe ein Sakrament und wird immer eines bleiben, wir müssen durch unsere jetzige Hölle hindurch, um hinterher Auferstehung feiern zu können!« Nach zwei Jahren lebte er getrennt von seiner Frau und entdeckte das Glück einer erotisch erfüllten Beziehung mit seiner Geliebten.

Immer klarer wurde mir, daß man Therapieziele zwar (mit Gewinn für den Klienten) immer wieder einmal erfragen kann, daß sie aber lieber nicht zur Leitlinie des Handelns gemacht werden sollen. Ihre Verwerfung hingegen erscheint mir als ein wichtiger Prozeß.

Was mir problematisch ist: daß dies nicht für alle Menschen zu gelten scheint; daß manche mit ihrer »festen Leitlinie« sich sicher und zufrieden durch die Therapie bewegen wie ein braver Schüler, der das Klassenziel erreichen möchte.

Mein »Väterchen« (ich nannte ihn im geheimen so, weil er – weit über 50 Jahre alt – für mich etwas ausgesprochen Väterliches ausströmte) war ganz offensichtlich ein solcher Fall. Depressiv und gehemmt sein Leben lang, hatte er sich von früh an als Spielball der anderen gefühlt. Der ganze Jammer seiner Existenz aber brach in ihm auf, als aus nichtigem Grund seine extravagante Ehefrau die Scheidung über ihn »verhängte«. Die ganze Geschichte war nicht frei von skurrilen und auch komischen Zügen – aber »Väterchen« fand sie natürlich gar nicht komisch und verfiel in eine recht schwere Depression. – Wir analysierten sein Problem als eines des »Sich-nicht-durchsetzen-Könnens«, »Seine-Gefühle-nicht-zeigen-Könnens« und versuchten eine recht genaue Rekonstruktion der Entwicklung seiner Problematik. Wichtigste therapeutische Methode aber war das Protokollführen über »verpaßte Gelegenheiten«, sich durchzusetzen, der Vermerk über die daraus entstehende Stimmung sowie eine Aufarbeitung dieser verpaßten Gelegenheiten in der Therapiesitzung. Wir besprachen dabei genau, welche Gedanken und Gefühle ihn am »richtigen« Reagieren gehindert hatten, und probierten im Rollenspiel »neues Verhalten« aus. »Väterchen«, ein sehr ordentlicher und gewissenhafter Mensch, hielt sich peinlich genau an dieses von mir vorgegebene Schema. Nicht einen einzigen Tag hat er seine Protokolle zu schreiben vergessen, mit möglichst großer Genauigkeit hielt er sich an die im Rollenspiel geübten Sätze zur Erhöhung der Durchsetzungsfähigkeit. Getreu dem Programm wurde ihm von Sitzung zu Sitzung leichter ums Herz. Schließlich gewann er, wie im Märchen, seine heiß geliebte Ehefrau wieder für sich, heiratete sie ein zweites Mal und schrieb mir aus allen Ferien vergnügt-höfliche Grußkarten. Das schon in der ersten oder zweiten Stunde formulierte Therapieziel »Wünsche ausdrücken und durchsetzen« hatte ganz offensichtlich genau »gepaßt« und in ihm gute Kräfte freigesetzt. Sicher war das diszipliniert-planvolle Vorgehen gerade für ihn, einen etwas umständlichen Menschen vom Typ »Zwangsneurotiker« richtig und adäquat gewesen.

Leider läßt sich aber (wie ich das gerne gewollt hätte) auch daraus offenbar kein Prinzip machen. Wie sonst hätte ich es wohl erklären sollen, daß ein zwanghafter preußischer Offizier alter Schule, der an agoraphoben Symptomen litt, von einer braven und disziplinierten Systematischen Desensibilisierung nichts, aber auch rein gar nichts profitieren konnte? Und ich war doch – den glücklichen Fall des »Väterchens« in Gedanken – mit so vielen Hoffnungen darangegangen! Es schien alles haargenau zu »passen«. Nein, das Problem des »gezielten« Vorgehens habe ich noch nicht gelöst und ich wundere mich immer wieder über Therapeuten, denen dieses Problem offenbar keines ist! Ich selbst befinde mich noch immer im »Trial-and-Error«-Stadium.

In anderer Hinsicht als der geschilderten wurden die Diskussionen um das »Therapieziel« an manchen Psychologischen Instituten in den frühen siebziger Jahren geführt. Dort ging es um die »höheren«, die »allgemeinverbindlichen« Ziele, und ich hatte oft große Mühe, die Herleitung dieser Ziele aus marxistischen Theorien zu verstehen und mit dem, was ich in der Therapie erlebte, in Zusammenhang zu bringen. Wichtigstes und oberstes Gebot war (zumindest in der Theorie, in der Praxis gab man sich natürlich mit geringerem zufrieden): Herstellung einer kritisch-solidarischen Gesinnung, Kampf gegen Ausbeutung, Organisation in der Gewerkschaft u. ä. m. Wie aber sollten diese Ziele jemandem vermittelt werden, der sich nichts sehnlicher wünscht, als daß der Lehrherr mit ihm zufrieden ist, der Angst hat vor sexueller Untreue des Partners oder der in U-Bahn und Kaufhäusern von unerklärlichen Angstgefühlen befallen wird? Diejenigen Mitarbeiter, die therapeutische Erfahrung hatten, drückten sich in ihrer Praxis um das Problem herum oder warteten eventuell auch darauf, daß der »Weltgeist« schon alles richtig ordnen werde, wenn erst einmal die Ängste weg seien. Ungeübte Mitarbeiter oder Studenten versuchten aber mit großer Vehemenz, Klienten von der Wichtigkeit ihrer Ziele zu überzeugen. »Ja, ja, wenn erst der Widerspruch von Kapital und Arbeit erkannt ist, dann flutschen auch die Schularbeiten«, pflegte Christiane, unsere witzige Kindertherapeutin, oft maliziös zu äußern.

Jetzt hätte ich keine Mühe mehr, unumwunden zuzugestehen, daß Psychotherapie per se keinerlei progressives Potential in sich hat. Anpassend ist bei den meisten Therapien ein äußerst wichtiges und notwendiges Ergebnis. Sollten sich dabei Kräfte freisetzen lassen für gesellschaftskritische Arbeit oder Betrachtungsweise: dann liegt es sicher nicht an der Form der Therapie; eventuell liegt es an der Modellperson des Therapeuten.

Damals aber wollte ich die Therapie (und vor allem: die Verhaltenstherapie) als progressives Instrument retten und somit der Revolution vorarbeiten. Getreu einem marxistischen Menschenbild hatten wir dabei auch größte Ehrfurcht vor jeder erfolgten Wiederherstellung von Arbeitsfähigkeit, vor allem, wenn sie sich als Höherqualifizierung kundtat.

Hilde, die Hilfsarbeiterin, die sich zur Erzieherin qualifizierte, galt damit als »Idealfall«. Es mußte zumindest die »gesellschaftlich durchschnittliche Qualifikationsebene« erreicht werden, wie wir uns damals geschraubt ausdrückten. Wehe, ein Arbeiter blieb gerne bei seinem Job und zeigte vielleicht noch nicht einmal Interesse an Gewerkschaftsarbeit! . . . Es gab sehr viele dümmliche und fast inhumane Diskussionen um dieses Thema. Für mich empörend wurde es, als ein Kollege mich einmal anfuhr, wie ich es wagen könne, den Sohn des Abteilungsleiters einer Fabrik zu behandeln! – ». . . damit uns wiederum neue, glückliche Ausbeuter heranwachsen!« Hier blieb ich – bei aller Verunsicherung – stur. Dies widersprach meinen innersten Gefühlen und meiner Ethik als Therapeutin.

Anders aber war es mit dem Prinzip der Wiederherstellung der Arbeitsfähigkeit ganz allgemein. Daß man nur als gut arbeitender Mensch zufrieden sein kann, galt mir – auch unabhängig von aller Ideologie – als unumstößliches Gebot. Dem Zuge der Zeit folgend wird jetzt auch dies relativiert. Ich sehe eine Zeit kommen, wo der »fröhliche Taugenichts« als Therapieziel wünschenswert erscheint. Angesichts der Arbeitslosigkeit ist dies vielleicht auch nicht ganz unvernünftig?! Ich persönlich habe allerdings Mühe, mich mit diesem Bild abzufinden. So sehr ich es begrüße, wenn immer mehr Menschen dem Ideal des

Karrieristen »ade« sagen – so sehr ist mir doch die Lebensweise des »Hobbyisten«, des »Jobbers« und »Welttrabanten« verdächtig. Ich glaube nicht, daß ich hier die Ideale meiner eigenen Sozialisation loswerden kann. Ich sehe daher eine Zeit kommen, wo ich mit sehr viel jüngeren Menschen nicht mehr werde Therapie machen können.

Der eigene Weg:
Lernen durch Therapie und Supervision

Der Beginn meiner Laufbahn als Psychotherapeutin war wirr, ungeordnet. Ich dachte nicht wirklich an eine »Karriere« – ich wollte mehr über meine »Beratungsfälle« wissen, ich wollte mich selbst besser verstehen und ahnte vage, daß dies wohl etwas mit einer »Lehranalyse« zu tun haben könnte. Es klingt jetzt, im Zeitalter des »Schulenstreits« und des Kampfes um Ausbildungsbescheinigungen für die Krankenkasse oder die Sozialämter, sicher merkwürdig: aber ich habe mich überhaupt nicht danach erkundigt, in welcher Weise meine Ausbildung bescheinigt, verbrieft oder kontrolliert würde. Ich hatte öfters den Namen eines bekannten Berner Psychoanalytikers erwähnen gehört – und dorthin telefonierte ich denn auch. Als er mir bestätigte, daß ich bei ihm eine Lehranalyse machen könnte, war mir dies eigentlich genug. (Bis heute habe ich übrigens nichts »Offizielles« darüber in der Hand – ich vergaß, ihn darum zu bitten!) So begann meine Lehranalyse ohne viel zukunftsträchtige Gedanken – es hätte ebensogut eine Patientenanalyse sein können; trotzdem: ich bestand auf dem Wort »Lehranalyse«, weil ich mich nicht besonders »krank« oder »gestört« fühlte.
   Ich habe diese Lehranalyse mit Neugierde begonnen: sie ermangelte aber jeder überhöhten Mystifizierung. Ich kannte kaum Leute, die sich psychoanalysieren ließen – nur eine Berufskollegin aus einem anderen Ort hatte mir im Vertrauen von »ihrer« Analyse erzählt – meine Empfindung dabei hatte jener geglichen, die man beim Anhören von Liebesgeständnissen hat. Nicht ganz zu Unrecht erwartete ich also, daß ich mich in meinen Analytiker »verlieben« würde. (Das Wort »Übertragung« hatte ich auch nur in diesem Sinne verstanden!) Und sofort war ich entschlossen, gerade dies nicht zu tun. Ich wollte etwas lernen, ich wollte eine bessere Schulpsychologin werden: wenn dies also nur über die intimere Ausbreitung meiner eigenen Person möglich sein sollte: voilà! Aber *jeden* Unfug wollte ich denn doch nicht mitmachen: die etwas lächerlich-backfisch-

hafte Schwärmerei, die jene Kollegin ahnen ließ, schien mir denn doch zu einfältig.

Selbstverständlich habe auch ich mich zeitweise in meinen Analytiker verliebt. Daß ich dies aber immer wieder voll Groll und Ärger zur Kenntnis nehmen mußte, gehört wahrscheinlich schon zu meinen spezifischen »Problemen«.

Ich ging also zweimal, später dreimal in der Woche in »meine Analyse«. Vor den meisten Menschen hielt ich es geheim. Man tat dies damals eigentlich nur, wenn man »verrückt« war; eine »Lehranalyse« war damals nichts, was in akademisch-psychologischen Kreisen Reputation gab – ich konnte wohl mit gutem Recht annehmen, daß ich dadurch in ein etwas merkwürdiges Licht geriet. Schon in Zürich wäre dies sicher anders gewesen. Bern war in dieser Hinsicht provinzieller. Zwar gab es einen Psychologenzirkel, der sowohl akademische Psychologen als auch Psychoanalytiker umfaßte, wobei beide Gruppen alternierend Vorträge hielten. Ich hatte aber immer den Eindruck, daß – bei mustergültiger Wahrung der Formen – die einen von den anderen nicht allzu viel hielten. So erinnere ich mich einer privaten Einladung in Universitätskreisen, wo – von großer Heiterkeit begleitet – ein junger Gastprofessor das nachmals berühmt gewordene Experiment von Weizenbaum – Simulation von Therapeutenantworten per Computer – voraussagte. Mir schien damit einerseits die gesamte Psychoanalyse als System vom Tisch gefegt – andererseits aber konnte ich nicht aufhören, den Erfahrungen meiner eigenen Psychoanalyse zu glauben. Wie häufig in solchen Fällen löste ich das Dilemma nicht – sondern beließ es beim doppelbödigen Denken.

Was aber hat mich meine eigene Lehranalyse gelehrt?

Auf keinen Fall möchte ich ihre Inhalte preisgeben; weder halte ich sie für allgemein interessierend noch fühle ich mich souverän oder auch bedeutend genug, solchen Exhibitionismus zu rechtfertigen. Wie aber kann man trotzdem vermitteln, welcher Art und von welcher Relevanz die damit verbundenen Erfahrungen waren? Vermutlich habe ich vieles »zeitverschoben« gelernt, wobei verschiedene Phasen meiner Entwicklung auch nach Beendigung der Lehranalyse determinierten, welcher Lerneffekt gerade dominant war.

Spontan fällt mir als erstes ein, daß die Lehranalyse mich eben vor allem vor einer Mystifizierung der psychoanalytischen Methode bewahrt hat. Wenn ich Kollegen ohne eigene Analyse darüber sprechen höre, fällt mir immer wieder auf, daß sie sie entweder offensiv lächerlich machen oder mit schlechtem Gewissen defensiv Gründe dafür suchen, weshalb sie meinen, diese nicht zu gebrauchen. Bei anderen Therapieformen habe ich dies noch nie erlebt – wer verteidigt sich schon deshalb, weil er noch keine Gesprächspsychotherapie hinter sich gebracht hat? Von der Verhaltenstherapie ganz zu schweigen – wie wir aus Lazarus' Untersuchung wissen, gab es in seiner Stichprobe keinen Verhaltenstherapeuten, der bei eigenen Problemen einen Verhaltenstherapeuten aufgesucht hätte.

Das »schlechte Gewissen« jener ehrwürdigsten therapeutischen Methode gegenüber geht mir also weitgehend ab.

Ich bin meist sehr gerne und mit großem Interesse in die Analyse gegangen; ich verwickelte mich in verschiedenste Beziehungsspiele mit meinem Analytiker und habe dadurch viel Wichtiges über mich erfahren.

Schon damals allerdings entwickelte sich bei mir ein Gefühl der Skepsis gegenüber einigen methodischen Anleitungen. Nun gut, man war z. B. der Auffassung, daß durch die »freie Assoziation« Zugang zum Unbewußten geschaffen würde.

Ich bemühte mich anfangs recht zwanghaft, *alles,* was mir durch den Kopf schoß, zu sagen. Da mir jweils recht viel durch den Kopf ging, geriet ich in eine irritierende Überproduktion – ich wußte nicht, wie schnell ich meine Gedanken eigentlich formulieren mußte, geriet vom Hundertsten ins Tausendste und hatte doch oft das Gefühl, nicht das Richtige gesagt zu haben. Heuzutage käme ein weniger orthodoxer Analytiker sicher auf die Idee, mich von jener Formel »alles, was Ihnen durch den Kopf geht« zu befreien. Vielleicht könnte er sogar sehen, daß solch schnelle Produktion eher der Abwehr als der Aufdeckung dient. Ich aber habe damals nur mit etwas schlechtem Gewissen einiges »verschluckt«, weil es mir gerade nicht zu passen schien.

Auch mit den Träumen bekam ich bald einmal Schwierigkeiten. So schrieb ich zwar viele meiner Träume auf, lieferte sie aber immer seltener in der Therapie ab, weil ich die Deutungen meines Analytikers allzu schematisch immer wieder auf sexuelle Inhalte hin ausgerichtet empfand.

Trotzdem: ich fühlte mich – alles in allem – doch auch wieder frei und geschätzt genug, um von mir aus »Variationen« des analytischen Arbeitsbündnisses vorzunehmen.

Große Mühe hatte ich mit meiner Vorstellung vom Prozeß der »Aufdeckung des Unbewußten«. Ich stellte mir dies als eine Art »Erdrutsch« vor und dachte lange Zeit, daß sich in meiner Analyse irgendwie »nicht das Richtige« täte. Hier verdanke ich der kontrollierten, ganz und gar »unhysterischen« Person meines Analytikers sicher sehr viel: er lehrte mich, auch Unspektakuläres ernstzunehmen und kleine Schritte zu achten. (War dies nicht sogar eine Vorbedingung zur Verhaltenstherapie? Mit Interesse erfuhr ich einige Jahre später, daß mein wissenschaftlich schon immer interessierter Analytiker sich sehr ernsthaft mit der Verhaltenstherapie auseinandergesetzt hat und ihre Methoden lernte.)

Ich hatte die Analyse fast »hinter meinem eigenen Rücken« begonnen; die akademisch-psychologische Rechte durfte nicht wissen, was die psychoanalytische Linke tat. Dies war sicher einer der Gründe, weshalb ich mich nie richtig dafür interessierte, welcher »Schule« mein Analytiker eigentlich zugehörte. Erst hinterher fällt mir auf, daß in meiner Lehranalyse strukturelle Gesichtspunkte vor kausalen rangierten. Ich weiß nicht, ob dies den Eigenheiten meines Analytikers zuzuschreiben war oder meiner eigenen Lektüre von Karen Horney? Jedenfalls habe ich, wie ich meine, in der damals noch so »unpsychologischen« Zeit sicher Gewinn gezogen aus der Entdeckung immer wiederkehrender »Muster« meines Verhaltens und Erlebens – vielleicht sind diese den heutigen Lehranalysanden durch Studium und Psychogruppen schon vor Beginn ihrer Analyse klar. Für mich waren solche Erkenntnisse neu und aufregend.

Ich erlebte meinen Analytiker als unbestechlich, manchmal als stur. Ich denke, daß es mir gut getan hat, mich damit zu arrangieren. Oft war ich aggressiv gegen ihn, weil ich seine Andersartigkeit schlecht ertragen konnte. Es war aber auch zu spüren, daß er mich ernstnahm, daß er mich mochte – auch wenn ich mich nicht allen seinen Forderungen anpaßte.

Manche Regeln der Analyse empfand ich als eher lächerlich und therapeutisch unergiebig. So leuchtet es mir bis heute nicht ein, warum ich meinem Analytiker z. B. nicht meine neugeborene Tochter hätte zeigen sollen? – oder warum er solches Trara um die Tatsache herum anstellte, daß ich wissen wollte, ob seine Frau berufstätig sei?

Das Erjagen von Informationen über das Privatleben des Analytikers gehörte eine Zeitlang zu meinen Lieblingsspielen. Vermutlich habe ich dadurch auch einer Tendenz entgegengewirkt, der ich erstmals fassungslos in T. Mosers Buch ›Lehrjahre auf der Couch‹ begegnete: der Idealisierung des Analytikers und der starken Symbiosebildung. Daß er wütend wurde, weil sein Analytiker sich nach dem Besuch der Toilette die Hände wusch und er daher erst einige Sekunden später zum ersehnten Händedruck kam, erstaunte mich tief. Sind das wirklich noch behandelnswerte Tatbestände? – sind es Auswüchse des analytischen Settings, die man lieber unmöglich machen sollte? Ich weiß, daß einiges dafür sprechen kann – ich glaube aber, daß die Indikationsfrage zu wenig präzise gestellt und gelöst ist, als daß es sich – alles in allem gesehen – lohnt, mit der Rigidität der »großen Analyse« zu verfahren.

Viele meiner späteren analytischen Gesprächspartner haben gemutmaßt, daß mit meiner Analyse »etwas schiefgegangen« sein mußte – sonst hätte ich mich doch wohl weiter zum Analytiker ausgebildet? Dieses Argument finde ich natürlich ärgerlich. Ich glaube nicht, daß man in der damaligen Zeit der neu aufschießenden psychologischen Therapien unbedingt den »Widerstand« bemühen muß, um einen Richtungswechsel zu erklären. Genügt als Motivation nicht auch die Neugierde?

Ich selbst habe meine Analyse nie als »schiefgehend« erlebt. Ich habe immer empfunden, daß ich durch sie vieles erleben und reflektieren gelernt habe; daß auch einige meiner persönlichen Probleme dadurch für mich leichter lebbar wurden. Eine Hymne auf die Analyse kann ich trotzdem nicht singen; ich glaube auch nicht, daß die Erkenntnisse und Bewältigungsmechanismen, die einer Analyse entstammen, immer »besser« oder »tiefer« sind als solche anderer Therapieformen.

Meine Einstellung zur Analyse wird sicher noch weitere Modifikationen erfahren, eine davon hat sich in den letzten Jahren immer deutlicher abgezeichnet: es ist mein Verhältnis zur Therapiedauer. Im Überschwang der Verhaltenstherapiepionierzeit galt uns das zeitliche Argument immer als besonders fulminant.

10, 12, 15 Therapiestunden: das galt schon als »durchschnittlich«. Mehr mußte man rechtfertigen. Natürlich kamen wir bei vielen Klienten damit nicht zurecht und wurden daher von schlechtem Gewissen gepackt. Wie froh war ich, als mir ein geschätzter Verhaltenstherapiekollege gestand, daß er Therapien oft bis auf 60 bis 80 Stunden ausdehne. Jetzt empfinde ich die »Zeitverschwendung« der Analyse als wichtiges Geschenk an viele Klienten. Wie immer man therapiert: man sollte viel Zeit einkalkulieren und nicht auf den raschen Effekt hin therapieren. Manche Klienten profitieren davon gar nichts, manche sind damit »falsch bedient«, weil sie sich den Wünschen des Therapeuten zu schnell anpassen. Geduld und Zeit – wichtigste Ingredienzen jeder Psychotherapie – ist es doch das, was den Klienten ihre wichtigsten Bezugspersonen so oft gerade vorenthalten haben!

An meinem neuen Wohnort Bochum gab es wenige Möglichkeiten zur Fortsetzung meiner analytischen Ausbildung. Ich glaube allerdings, daß auch ohne diese äußeren Gründe mein Interesse daran nur gering gewesen wäre. Die Faszination des Universitätslebens und die Pionieratmosphäre der Verhaltenstherapeuten wären in jedem Fall für mich zwingender gewesen. Wenn ich mir diesen – eigentlich entschlußlosen – Entschluß zum Umsatteln heute überlege, dann tut mir daran nur eines leid: daß ich mich auf diese Weise um den Gewinn der Kontrollanalysen gebracht habe. Vorderhand aber war mir das egal.

Wie alle Verhaltenstherapeuten praktizierte ich die neue Therapie ohne jede eigene persönliche Erfahrung damit – und dies hat mir, wie sicher vielen anderen Therapeuten, nicht gerade gutgetan. Wir erhielten aber bald Supervision durch F. H. Kanfer, einem berühmten Vertreter der neuen Therapieform. Wir lernten durch ihn in wirklich gekonnter Weise, ein Problem zu analysieren. Gemäß seinem funktionalen Modell lernten wir, richtige Fragen zu stellen und Verbindungen herzustellen. Ich habe dadurch vor allem die »Phänomenologie« einer Störung zu beobachten gelernt – wenn ich sehe, mit welch grandioser Geste junge Kollegen in Psychoanalyseausbildung ihre Klienten oft »diagnostizieren«, dann bin ich für diese Schule des mühsamen »Baustein-für-Baustein-Zusammensuchens« eigentlich dankbar. Da gab es keine »Phobie«, keinen »Zwang«, natürlich auch keine »narzißtische Störung«, sondern ganz kleinkarierte Beschreibungen derjenigen Auslöser, die kleinere oder größere Ängste oder Zwänge hervorriefen sowie nuancierte Beschreibungen der vermutlich aufrechterhaltenden Konsequenzen. In einer der seltenen direkten fallzentrierten Konfrontationen mit einem Analytiker demonstrierte ich vor einer Gruppe von Studenten einmal ein Tonband mit solch einer genauen Befragung. Zwar lieferte jener Kollege selbst kein Tonband, sondern leider wiederum nur Protokollnotizen von seinem »Fall«, ich erinnere mich aber noch sehr genau seiner spontanen Bemerkung: »Erstaunlich – dieser Patient muß sich wirklich ernstgenommen fühlen mit seinem Symptom . . .« Ich nehme an, daß diese Bemerkung durchaus ambivalent gemeint war. Ich nehme sie aber als Kompliment, weil ich denke, daß *auch dies* einen Teil der Wirksamkeit von Verhaltenstherapie ausmacht: Der Klient fühlt sich als Informant ernstgenommen und lernt dabei, sich sehr genau zu beobachten. Übt man mit ihm, die Bedingungen und die Konsequenzen seines Verhaltens herauszufinden, dann hat man wahrscheinlich schon den halben Therapieeffekt geklärt. Genau dies hat einige Jahre später auch P. Fiedler in seinen »Verhaltensanalytischen Gruppen« vorgeschlagen und mit gutem Erfolg praktiziert.

Die Supervisionssitzungen mit Kanfer haben mich also in vieler Hinsicht bereichert und mein Auge geschärft für die oft unmerklich scheinenden und trotzdem bedeutenden Unterschiede von »Störungsbildern«. Nimmt man die Verhaltensanalyse ernst, dann entkommt man auch der oberflächlichen »Symptomkuriererei«. Eine soziale Phobie – zerlegt in ihre einzelnen Bestandteile – kann recht wichtige Hinweise auf ihre Entstehung und Aufrechterhaltung geben, womit der Therapeut oft sehr schnell eine adäquate Methode findet.

»Entstehung« und »Aufrechterhaltung« aber sind unter Umständen verkürzte Metaphern für sehr wichtige Einsichten in die Eigenart der eigenen Person, der wichtigsten Personen in der eigenen Entwicklung und der daraus resultierenden speziellen Beziehungsformen, die man gelernt hat.

Dieters merkwürdige »Lichtphobie« war uns anfangs als ein recht exotisches Phänomen erschienen. Nur in der Dunkelheit konnte er das Haus verlassen, in seinem Zimmer waren dauernd die Vorhänge zugezogen. Am wohlsten fühlte er sich abends beim Wein mit Freunden, wenn hinter ihm eine rötlich schimmernde Lampe brannte. Unter meiner Supervision erstellte eine Praktikantin eine Hierarchie seiner Ängste. Dabei zeigte sich allerdings, daß seine Phobie – was er allerdings nicht bewußt kodiert hatte – auch mit Art und Anzahl der anwesenden Freunde etwas zu tun hatte. Zwar wollte er auch allein nicht in Helligkeit getaucht sein – in Anwesenheit anderer aber verschärfte sich sein Unbehagen noch. Daß das Problem fast verschwand angesichts der roten Lampe, fiel unserer Praktikantin aber schließlich doch auf. Intensives Nachfragen enthüllte eine fast vollständig vergessene und verdrängte Angst vor dem Erröten. Die angebliche »Lichtphobie« war ein im Laufe der Jahre geschickt ausgebautes System der Abwehr gegenüber der »Errötensangst« gewesen. Dieses System hatte natürlich eine gewisse Eigenständigkeit erhalten, weshalb die »Aufdeckung« noch nicht zur Heilung führen konnte. Die Systematische Desensibilisierung aber wurde nun mit gutem Erfolg rund um die Errötensangst und die sozialen Hemmungen geführt.

Was wir in diesen Supervisionssitzungen nicht reflektiert haben, war – natürlich! – die Bedeutung der Therapeut-Klient-Beziehung. Der therapeutische Mißerfolg war einer der falschen Bedingungsanalyse oder des nicht lange genug durchgehaltenen Behandlungsplanes. Auch mit den Zielvorstellungen befaßten wir uns nur oberflächlich. Meistens definierten wir sie negativ: der Depressive sollte *nicht* mehr depressiv sein, der Ängstliche *nicht* mehr ängstlich. Was einer eigentlich positiv erreichen wollte, welche Träume und Phantasien er für sich und sein Leben hatte: das ergab sich mehr als Nebenprodukt. Da ich immer gern und viel mit meinen Klienten gesprochen habe, bemerkte ich das Defizit des Modells erst ziemlich spät – erst: als ich es an der Universität den Studenten lehrend explizieren mußte. Hinterher wurde mir vieles klar.

Neben den Supervisionen gab es einige Workshops – auch sie vorwiegend Demonstrationen, theoretischen Betrachtungen oder der Vorstellung neuer verhaltenstherapeutischer Methoden gewidmet: Selbsterfahrung in diesen Methoden gab es nie – wenn man von einem Rollenspiel im Ullrich/Ullrich-de-Muynck-Programm absieht, wo ich zu meinem großen Vergnügen einen »sturen« Kollegen davon überzeugen mußte, mir 50 DM zu pumpen. Da ich dergleichen sowieso beherrsche, hat mir dieses Spiel persönlich aber nichts gebracht – außer Freude an meiner Darstellungskunst.

Ein einwöchiges Seminar bei Tausch in Hamburg erwies sich zwar als fruchtbar im Einüben der Variable VEE an Quasipatienten – Erfahrungen mit eigenen Problemen machten wir aber nicht.

Sowohl in meinen theoretischen Reflexionen als auch in meiner therapeutischen Methode spielt die Gesprächstherapie eine vergleichsweise geringe Rolle. Ich habe brav und ordentlich zwar einen ersten Ausbildungskurs in Gesprächstherapie absolviert, aber nie auf den Erwerb irgendeines »Scheines« hingearbeitet, weil mich diese therapeutische Methode nicht genügend interessierte. Ich frage mich, woher dieses Desinteresse kommt; es steht, glaube ich, keine prinzipielle Verachtung gegenüber der Humanistischen Psychologie dahinter (meine Kritik an der Lerntheorie ist sehr viel größer); – ich glaube, daß es eher persönliche Momente sind, die meine Gleichgültigkeit bedingen. Das heißt: die Gesprächstherapie und ich passen nicht zusammen. Dies betrifft sicher auch die Art der Theorienbildung; es betrifft aber vor allem und insbesondere das therapeutische Vorgehen. Was mich an der Verhaltenstherapie faszinierte, was mich sofort in die Hände der Gestalttherapeuten fallen ließ: – die Möglichkeit zur direkten Intervention, zur Befragung, zur Analyse – das alles hat mir vermutlich bei der Gesprächstherapie immer gefehlt. Auf gut und typisch österreichisch: mir war die Gesprächstherapie immer »ein bißl fad«! Ich verstand zwar recht schnell, wie wichtig es ist, Werturteile, Diagnosen oder gar in diagnostische Etiketten verpackte Diffamierungen zu vermeiden. Daß dies zur »Basisphilosophie« der Gesprächstherapie gehört, hat mir immer gut gefallen. Ich empfand aber nicht, daß dieses unbedingt an eine spezielle therapeutische Methode geknüpft sein muß.

Für mich selbst empfand ich sofort: ich hätte einem Gesprächstherapeuten nicht in die Hände fallen mögen. Warum eigentlich nicht? Nun, vermutlich, weil es mir dabei eben »fad« gewesen wäre. Ich selbst wollte Konfrontation, Anstöße, Verblüffungen – das milde Bad des bedingungslosen Akzeptierens hätte mir nicht gefallen. Man sagt mir immer wieder, daß meine Schwierigkeiten mit der »typisch deutschen« Version der GT zusammenhängen. Wenn ich aber »moderne« Literatur über Gesprächstherapie lese, die von vielen Kollegen als äußerst hilfreich und neuartig empfunden wird, merke ich dennoch immer wieder das gleiche Manko: es teilt sich mir nicht genügend mit. Immer wieder habe ich das Gefühl, all dies hätte ich eigentlich »schon immer gewußt« oder auch »schon mal gelesen«. In früheren Zeiten hätte ich dies sicher kurz und bündig als Faktum hingestellt. Inzwischen bin ich mir selbst und meinen Vorlieben gegenüber kritischer geworden und will also nur feststellen, daß ich persönlich mit Gesprächstherapie (alter und neuer Form) nicht besonders viel anzufangen weiß. Ich sehe aber (und kann es ehrlichen Herzens akzeptieren), daß es viele Kollegen gibt, die auch dieses Instrument sehr variabel, erfindungsreich und hilfreich handhaben können. Ich nehme außerdem an, daß auch für viele Klienten ein methodisch adäquates gesprächstherapeutisches Vorgehen das Richtige ist. Es ist sicher schonender und vorsichtiger als manch andere Methode – ich nehme an, daß für manchen Klienten dies in manchen Phasen einer Problematik wichtig und richtig ist.

Ich will allerdings nicht verschweigen, daß ich immer wieder einmal Klienten habe, die vorher Gesprächstherapie gemacht hatten und darüber Urteile abgaben, die mir recht gleichlautend erscheinen. Etwa in dieser Art: »Doch, die (vorherige) Therapie hätte schon irgendwie geholfen ... aber vielleicht sei doch alles ein wenig zu oberflächlich gewesen? ...« – andererseits: »die entsprechende Dame (der entsprechende Herr) sei wirklich sehr, sehr freundlich gewesen ... vielleicht *zu* freundlich? ...« Ich nehme an, daß ein solches Resümee die möglichen Fallen einer Gesprächstherapie kennzeichnet: Beharren in Unverbindlichem, Vermeiden von möglichen (und hilfreichen) Aggressionen und das für manchen Klienten dadurch entstehende Gefühl, er bewege sich im Kreis.

Unvergeßlich wird mir die Gesprächstherapie einer Kollegin an der Studentenberatungsstelle bleiben. Diese, eine ansonsten äußerst aktive und erfindungsreiche Verhaltenstherapeutin, wollte unbedingt ihren »Schein« machen und quälte sich mit einem diffuse formulierenden Klienten herum, dessen Probleme ihr unverständlich waren. Sie ließ uns in ihre Bänder hinein-horchen, sie ließ uns ihre Antworten evaluieren: wir alle wurden nicht recht schlau über die eigentlichen Beweggründe des Klienten. Da war viel von »Selbstwert« und »Sich-annehmen-Können« die Rede, von Verpflichtungen und Moral – aber keine der vielen Formulierungen meiner Kollegin schien je ganz das Richtige zu treffen. Ich verlor bald einmal die Geduld: »Frag ihn doch, warum er kommt«, riet ich ihr schließlich vor der neunten Stunde, »und dann läßt du das Band einfach verschwinden«. Sie tat es. Der Klient gab auf ihre schlichte Frage eine klare Antwort: Er sei hier, weil er homosexuell sei und sich damit nicht abfinden könne. Gott sei Dank, daß sie ihn gefragt hatte – er wäre wohl nicht mehr lange zur Therapiesitzung erschienen, wenn ihr Desinteresse an ihm weiter so deutlich geblieben wäre.

Ich weiß, daß dies sicher eine schlechte Gesprächstherapie war. Aber: ist dieser Fall nicht doch recht typisch, sind solche Fehler nicht doch auch aus dem gesamten Therapiesystem heraus verständlich?

Ich habe lange Zeit Supervision als nur technikzentriert erlebt. Dementsprechend mußten wir auf die Erklärung von Mißerfolgen oft verzichten. Wir hatten eben vermutlich falsch analysiert, zu wenig VEE oder Wärme gezeigt u. ä. m. – bessere Erklärungen fanden wir nicht. Kein Wunder, daß wir unsere Mißerfolge einfach »vergessen« mußten! Eine Durchsicht der Literatur ergab ein ähnlich optimistisches Bild, wie auch wir es boten, wenn wir über unsere »Fälle« berichteten: lauter Erfolge! – keine Abstriche. So hatten wir z. B. einen Exhibitionisten »geheilt«. Wie gewünscht, nahm er – gestärkt durch gestufte Annäherungsübungen – erstmals sexuellen Kontakt zu Frauen auf. Unser Ziel – Ersetzung des exhibitionistischen Sexualverhaltens durch heterosexuellen Kontakt – war erreicht. Tatsächlich trat sein ihm selbst unerklärlicher Drang nun nicht mehr auf. Im geheimen fand ich, daß er nach wie vor ungemein verklemmt und scheu wirkte – irgendwie gar nicht glücklich: trotz neuer Freundin und geglückter Therapie. Was aber war nun, nachdem das Therapieziel erreicht war, noch zu tun? Also entließ ich ihn. Die nächste Nachricht über ihn erhielt ich über die Sittenpolizei. Nach einem Bruch mit der neuen Freundin hatte er – ausgerechnet 100 m entfernt vom Nacktbadestrand in Sylt – sich wieder einmal vor einer jungen Frau entblößt. Ich wurde um ein Gutachten gebeten... Wäre ich nicht mehr greifbar gewesen, hätte ich ihn zweifellos zu den »Erfolgen« gezählt.

Ich hege ein tiefes Mißtrauen gegen die »glatte« Falldarstellung, den »perfekten« Therapieerfolg. Verfolgt man als Laie die Therapie seiner Bekannten und Freunde, dann ist man leicht geneigt, (hämisch) zu konstatieren, daß diese sich »im Grunde« gar nicht verändert hätten, obwohl die Betroffenen selbst dies oft ganz anders sehen mögen. Das »Verschwinden von Symptomen« empfinde ich nach wie vor als einen Triumph für den Klienten und den Therapeuten. Meistens verändert es die Gesamtlebenslage des Klienten sehr weitgehend und gibt ihm Mut zu neuen Lebenskonzepten. Wenn aber solch eklatante Beweise für den Effekt einer Therapie nicht vorliegen, dann wird das Ergebnis schillernd. Es verändert sich im Laufe der Zeit, Therapie und Therapeut werden im Bewußtsein des Klienten in jeder Lebensphase neu bewertet. Mit einem Wort: der Therapieerfolg ist ein Wechselbalg, ein Chamäleon. Therapeuten, die dies nicht sehen und ihre erfolgreichen Klienten als glattrasierte Musterkinder präsentieren, erscheinen mir naiv; ich selbst möchte von einem solchen nicht therapiert werden.

Lange Zeit arbeitete ich ohne jede Supervision und ohne eigene therapeutische Erfahrung – ein unerfreulicher Zustand, in dem ich viele »schlampige« Therapien produziert habe.

In New York wurde mir erstmals seit langem wieder das Geschenk (es war auch im materiellen Sinn eines, da die Columbia University für uns zahlte) einer (Gruppen-)Therapie zuteil. Nur das Beste war für die Superstudenten von »Teacher's College« gerade gut genug: ein Gestalttherapiewochenende bei Ruth Cohn. 1970 war dies für eine Europäerin natürlich ein rares und sehr seltsames Erlebnis. Ich kannte nur die kargen Stunden auf der Couch und die nüchternen Verhaltenstherapien. Daß man mit solcher Entfesselung von Gefühlen arbeiten kann, war mir neu. Ich war fasziniert, irritiert – und auch ein wenig abgestoßen. Ruth erschien im langen, bordeauxroten Samtkleid. Ihre Wohnung war voll von orientalischen Nippes; auf kleinen Tischchen lagen vorsorglich Kleenex bereit. Letzteres störte mich. Die Antizipation des Gefühlsüberschwanges wirkte ernüchternd auf mich – meine amerikanischen Kommilitonen schien sie weniger zu stören. Ich distanzierte mich innerlich – aber nicht sehr lange. Ruths überwältigender Ernst, ihre tiefe Ruhe, Anteilnahme und Konzentration zog auch mich in ihren Bann. Ich machte »voll mit« – wobei die kleine psychische Vorsorge des »Danebenstehens« aber trotzdem gewahrt blieb. Mein natürlicher Hang zum Theaterspielen aber kam der Gestalttherapie offensichtlich entgegen. Alle Kommilitonen beteuerten, wie sehr sie sich in mir getäuscht hätten – bisher sei ich ihnen eher rationalistisch-leistungsorientiert erschienen. Nun aber sähen sie mich ganz anders ...

Ich hatte das Ritual der Gruppenwochenenden noch nicht erfaßt. Ich wußte noch nicht, daß ich noch rund einem halben Dutzend jener edlen, konzentrierten und in sich ruhenden Gruppenleiter(innen) würde begegnen. Daher nahm ich alles für bare Münze – abgesehen davon, daß mein Unterbewußtes eben doch ein wenig anders reagierte. In einem Traum an jenem Wochenende nämlich mußte ich peinlicherweise mit ansehen, wie Ruth Cohn mitsamt ihrem schönen Samtkleid einen Kopfstand probierte, wobei immer wieder ein höchst profaner Strumpfgürtel zum Vorschein kam ... Dies wiederum erinnerte mich an eine unvergessene Szene aus meiner Zeit in der Klosterschule: dort hatten wir uns vor der Französischstunde bei einer besonders feinen zartgliedrigen Nonne alle unter den Bänken versteckt. Erstaunlicherweise entdeckte uns die weltabgewandte Mater Evangelista nicht, bückte sich, hob ihren Nonnenkittel und richtete sich ihr Strumpfband. Nur eine katholische Klosterschülerin der fünfziger Jahre kann vermutlich ermessen, welch tiefgreifende Aufregung uns beim Anblick einer Nonnenwade erfaßte.

Voll Entzücken vernahm ich, daß Ruth mich für »besonders begabt« als Gestalttherapeutin hielt. Woher denn meine absurde Vorliebe für die kalte, emotionslose Verhaltenstherapie käme? Ich verriet meine Liebe zur Verhaltenstherapie selbstverständlich sofort und verteidigte mich nur matt: daß ich ja sowieso nicht »typisch« vorginge ..., daß ich auf dem Wege zu einer Verbesserung der Verhaltenstherapie sei ... Wie allerdings hätten meine funktionalen Verhaltensanalysen auch nur einigermaßen Schritt halten können mit dem Sturm an Emotionen, die Ruth an jenem Wochenende entfesselte? Andi schlug sich buchstäblich die Hände wund beim Beschimpfen seiner kalten Mutter und Sheas Tränenflut war erst abgeebbt, als wir alle sie wie ein Baby gewiegt hatten. Auch mein eigener böser Vater, der mir im Krieg die kostbare Schokolade weggegessen hatte, tauchte wieder auf: war jene tiefe Resignation, die mich bei der Erinnerung daran packte, tatsächlich Teil meiner »eigentlichen« Persönlichkeit? Ich war verwirrt, erstaunt. Ich hatte keinerlei Möglichkeit, meine Erfahrungen in theoretische Konzepte zu fassen. Erst als ich im Seminar einige Filme über Encounter- gruppen sah, gewann ich wieder ein wenig Fassung. Ich kriti- sierte nun in scharfer Form die »gemachten« Gefühle und die »plötzlich so tiefen« Beziehungen – alles Surrogate für Echtes, Lebendiges, Natürliches ...! Damit verriet ich wiederum die Tränen, die ich bei Ruth vergossen hatte. Ich erntete verdien- terweise denn auch achselzuckende Empörung bei den Kommi- litonen. »May be you Europeans are happier than we are ...«, meinte der nachsichtige Professor Bergin.

Nach Deutschland zurückgekehrt, wurde mir wiederum nur karges Brot zuteil: ein gruppendynamisches Wochenende in unserer Arbeitsgruppe mit einer Reihe von Kommunikations- spielen. Ich empfand dies als gekünstelt und ungekonnt und trug durch eklatante Heuchelei mein Teil zum Mißlingen der Gruppe bei. Diese Gruppentrainer konnte ich mit gutem Grund als dumm und unwissenschaftlich verachten.

Einige Jahre lang vertrat ich denn auch diesen oberflächlichen Standpunkt: Gruppendynamik sei eben »wissenschaftlich nicht abgedeckt« – man könne sich das Verfahren aber für später notieren.

Mein eigentlicher Einstieg in den »Psychoboom« geschah einige Zeit später durch ein Gestalt- und TZI-Seminar einer Gestalttherapeutin: R. R. Hoch auf den Bergen, abgehoben vom Alltag, in einem bizarren, altmodischen Hotel, erlebte ich, in welch gefährlicher Weise sich durch die Konzentration auf das Innere – fern aller Korrektur durch die Alltagsrealität – die Perspektiven verschieben können. In genialer Einfühlung er- spürte R. R. den Gruppenprozeß sowie die Persönlichkeit ein- zelner und wußte durch den Einsatz von Gestaltmethoden sehr schnell die für jeden wichtigsten und tiefsten Probleme zu erspüren. Gefährlich war dies deshalb, weil sie »ohne Netz« arbeitete. Das heißt: zwar wußte sie bei den meisten von uns sehr schnell um den »wunden Punkt« – sie konnte aber offenbar nicht abschätzen, wie stark oder schwach jemand in der Realität verankert war. Wie hätte es ihr sonst entgehen können, daß Renate zwei Tage lang Wahnvorstellungen hatte, in denen sie sich als KZ-Wärterin kleine Judenkinder ermorden sah? Die Verzweiflung meiner Freundin darüber, daß ihr verehrter und geliebter verstorbener Vater in ihr nicht nur Liebe, sondern auch Feindseligkeit geschürt hatte, ließ sich noch dadurch kompensieren, daß wir beide in den Nachtstunden darüber redeten. Auch daß ich selbst am Ende der 10 Tage nachts nur mehr – trotz Schlafmittel! – eine einzige Stunde schlafen konnte, ließ sich natürlich bald wieder verbessern. Wie aber erging es Ivo, dessen gefühlvoll-verkitschte Fassade von der ganzen Gruppe angegriffen worden war, ohne daß R. R. ihn hätte verteidigen mögen? Und konnte der etwas tapsige Rudi es wirklich verschmerzen, daß die kluge Susanne ihn kaltlächelnd als »ungeheuer dumm« bezeichnet hatte?

Ich hatte während dieser 10 Tage hauptsächlich mich selbst und meine aufgeregten Gefühle präsent, weshalb mir solche Dinge damals zwar mehr oder weniger entgingen, aber trotzdem nicht ganz unbemerkt blieben. Anfangs hatte ich vor, in halber Distanz zu bleiben: schließlich hatte ich ja methodische Interessen. Ein- bis zweimal täglich schrieb ich daher Protokoll und setzte mich auch immer wieder mit meiner Freundin zusammen, um die Ereignisse des Tages Revue passieren zu lassen. Auf diese Weise fühlten wir uns gewappnet vor einem Überrolltwerden durch die wirklich überwältigende Person der Gruppenleiterin. Rund um uns tosten Eifersuchtskämpfe um ihre Gunst. Der Co-Trainer war – verglichen damit – ein recht bescheidenes Geschöpf, das sich recht und schlecht in sein Schicksal als »Prinzgemahl« fügte.

Noch konnten wir analysieren, durch welche Wendung des Gesprächs oder durch welche Übung sie jeweils »ins Schwarze« getroffen hatte. Unversehens gerieten wir dabei in die damals noch neue Psychosprache, ein Gemisch aus vulgarisierter Psychoanalyse und neuen Formeln aus der Körpersphäre: Erika, die sich unter einen Stuhl verkrochen und mit einer Decke umhüllt hatte, war natürlich in die Embryonalphase »regrediert«, daß R. R. sich dort mit ihr leise und zärtlich unterhalten hatte, um sie dann mit Hilfe der Gruppe ans Licht zu befördern, war eine Wiederholung des Geburtsvorganges gewesen; die Entdeckung von Uwes Aggression gegenüber seiner Schwester war ein »Durchbruch ins Unbewußte«. Immer wieder vergewisserten wir uns der Signale »aus dem Bauch« u. ä. m.

Schon damals reagierte ich mit leisem Widerwillen auf die im Entstehen begriffene Sprache der »Psychos«. – »Da komme ich noch nicht heran«, »Frag deinen Bauch«, »Ich muß zu meinen Aggressionen durchstoßen«, »Sag, wie es dir dabei geht« … relativ schnell entpuppte sich dieses Gerede als ziemlich nichtssagende Klischees.

Trotzdem konnte ich mich weniger und weniger entziehen. Nach fünf Tagen brechen meine Protokolle ab: ich war zu aufgeregt, zu erschöpft, um über Methoden zu reflektieren. R. R. hatte mit einigen Bemerkungen und Übungen auch bei mir »ins Schwarze« getroffen – überwältigt von neuen Erkenntnissen über mich selbst war ich nun ununterbrochen damit beschäftigt, alle möglichen Lebensphasen, Erlebnisse und Gedanken der Vergangenheit im Lichte dieser neuen Erkenntnisse zu überprüfen. Der Dauermonolog mit mir selbst führte – neben den oftmals sehr belastenden Erlebnissen in der Gruppe –, zu einer nervösen Überspannung, die mich jeden Augenblick in Tränen ausbrechen ließ und mir die Nachtruhe verwehrte.

Als meine Freundin und ich nach Abschluß des Kurses bei der Heimreise am Zürcher Hauptbahnhof standen, wäre eine Drehtür zu durchschreiten gewesen. Als sie sich etliche Male vor unserem zögernden Schritt vorbeigedreht hatte, brachen wir beide in Tränen aus. »Ich schaffe das nicht«, schluchzte meine Freundin und wir fielen uns hysterisch lachend und weinend in die Arme.

Was habe ich daraus gelernt?

Nun, im Gegensatz zu manchen anderen Gruppenerlebnissen, mußte ich mir auch nach dem Abflauen der Gruppenhysterie sagen, daß R. R. mich auf einen bisher unzugänglichen »blinden Fleck« für mich selbst aufmerksam gemacht hatte, der auch kritischer Überprüfung standhielt. Ich fühlte, daß ich viel Arbeit zu leisten hatte, um mein Selbstbild mit meinen neuen

Erkenntnissen zur Deckung zu bringen. Das, was ich in meiner Analyse immer ein wenig vermißt hatte – der »große Durchbruch« – war hier eingetreten. Die Bedingungen dafür waren offenbar: stark dirigierende Methoden, die mich aktiv nachspielend erleben lassen sollten, welches Manko bei mir vorhanden war. Die andere Bedingung war sicher jene außerordentlich empathische Therapeutin, die mittels ihrer eigenen Gefühlsübersteigerung mich dazu verleitet hatte, meine »Doppelrolle« als Akteur und Beobachter aufzugeben. Sie hatte dies mit allen Künsten der Verführung getan – wenn ich es später überdachte, hatte ich mich eigentlich schon vom ersten Tag an von ihr als »auserwählt« betrachten können. (In der Vorstellungsrunde sagte sie zu mir den Satz: »Ich fühle, daß du für mich wichtig werden wirst!«) Dies beeinflußte meine Bereitschaft, alles, was von ihr kam, als besonders bedeutsam aufzufassen. Meine Rolle als Beobachterin, die ich sofort bekanntgegeben hatte, war für sie offensichtlich eine Herausforderung gewesen.

Ich konnte hinterher zwar die Bedingungen relativieren – das Ergebnis wurde dadurch nicht angetastet. Nie mehr aber habe ich jene Therapeutin gesehen, obwohl ich noch einige Jahre lang Einladungen zu ihren Kursen erhielt: ich hatte Angst – sowohl vor einer Wiederholung als auch vor einer Enttäuschung. Der Preis, den ich selbst gezahlt hatte, war gering gewesen: ein paar schlaflose Nächte, tränenverschwollene Augen, hinterher ein paar Nächte, in denen ich ununterbrochen von der Gruppe träumte ... das war alles. Hatte sie das alles aber vorher richtig abschätzen können? Ich möchte mit großer Sicherheit behaupten: nein. Bei mir war es gutgegangen – niemals nachher hat mich ein Therapieerlebnis derart gepackt wie es dort oben in den Bergen geschah. Daß dies immer so verläuft, möchte ich aber sehr bezweifeln. Meine Erkenntnisse waren bezahlt nicht nur mit jenem quasi-psychotischen Zusammenbruch von Renate (bezeichnenderweise hatte der bescheidene Co-Trainer sie letztlich aufgefangen und in langen Privatgesprächen beruhigt); sie waren auch bezahlt mit den Frustrationen derjenigen, die sich selbst einmal in einer Sitzung als R. R.s »Stiefkinder« bezeichnet hatten. Seither habe ich etliche Einwände gegen Trainingsgruppen auf dem »freien Markt«: die bunte Zusammenwürfelung der Gruppe erleichtert zwar sicher das freie Aussprechen vieler Gefühle – andererseits aber vermindert sie natürlich auch die Verantwortung füreinander. Die Faszination, die von einer Persönlichkeit wie der R. R.s ausgehen kann, bewirkt bei einigen sicher ungemein wichtige Erlebnisse, wenn diese Person sich ihrer annimmt. Die Ablehnung, das Desinteresse, das sie anderen zeigte, schmerzte vermutlich manche tief.

Ich selbst war einige Jahre später bei einem Gestalttherapiekurs in der Position des »ungeliebten Kindes« und weiß, wie unwohl man sich fühlt, wenn man tagelang in einer Sphäre von Mißachtung zu leben hat. Da mir jene Position eigentlich durch meine persönliche Entwicklung nicht vertraut ist, konnte ich auf sie mit offener Wut und Verachtung reagieren, weshalb ich dadurch sicher keinen großen Schaden erlitten habe. Ich kenne aber sehr wohl die Schäden, die man Menschen zufügt, deren Lebenskonzept sowieso schon von der Position des »Ungeliebten« bestimmt ist. Sie können meist ihren Zorn nicht nach außen richten, sondern fühlen ihr eigenes Konzept des »Unwertseins« nur wiederum bestätigt.

Mancher Außenstehende mag sich wundern, daß die leicht hysterische Atmosphäre einer 5- bis 6-Tage-Gruppe wirklich für das Leben eines Menschen von Bedeutung sein soll. Wie wir aus Erfahrungsberichten wissen, kann dies durchaus der Fall sein – bis hin zur Verzweiflung des Selbstmordes. Die »Gruppe« in ihrer künstlichen Abgeschlossenheit scheint für manche Menschen besonders schnell eine Regression zu bewirken. Betreffen die Erfahrungen, die man mit Gruppenteilnehmern macht, zentrale Lebenskonzepte, dann ist der korrigierende Kontakt zur Realität schnell dahin. Den meisten Teilnehmern von Gruppen ist es ein vertrautes Erlebnis: daß man sich der daheimgebliebenen Familie und der Freunde nicht so recht zu erinnern vermag; Anrufe daheim werden als Pflichtübung erlebt, das »Nachhausekommen« wird ein Problem. Man ist daher ungeschützt, vielen richtigen oder auch nur halbrichtigen Deutungen und Erfahrungen ausgesetzt, ohne sich noch der Realität vergewissern zu können.

Ich selbst habe mit Überraschung erlebt, daß ich in jenem Kurs, dem ich als »ungeliebtes Kind« beiwohnte, fast täglich mit meinem Mann telefonierte. Ich brauchte das Bewußtsein von der Sicherheit meiner alltäglichen Existenz, um die vielen Vorwürfe des Gruppenleiters an mich abwehren zu können. Dabei halte ich es für gleichgültig, ob diese Vorwürfe stimmen oder nicht. Da sie mir in feindlicher Absicht und ohne Stütze durch die Gruppe verpaßt wurden, fühlte ich mich verletzt und auch verkannt. Nicht alle Gruppenleiter schaffen es, ihre Sympathien und Antipathien zu kontrollieren. Ich halte dies in der Anspannung des »massierten Kurses« auch für sehr schwierig, weshalb meine Kritik neben der bunten »Zusammenwürfelung« einer Gruppe auch noch ihrer massierten Dauer gilt.

Von den vielen Kursen der erwähnten Art, die ich absolviert habe, hebt sich mir allerdings einer geradezu strahlend heraus. Bei herrlichem Augustwetter (es war jener Sommer, in dem ungewöhnlich viele Marienkäferschwärme durch die Luft zogen), in einer prunkvollen Villa in Blankenese, erlebte ich ein »Traum«seminar mit. TZI und Gestalttherapie waren wiederum vorherrschend.

Wetter, Gruppenzusammensetzung, Umgebung und ein glücklich kooperierendes Trainerteam wirkten zusammen, um eine Atmosphäre von Gelöstheit und Spaß zu erzeugen. Die Gestaltarbeit mit Träumen erschien mir recht einleuchtend. Sie ergab wichtige neue Anregungen und Perspektiven auf eigene Lebenspositionen hin. Auch in der eigenen therapeutischen Arbeit gelang es mir von da an öfters, meine Klienten durch gestalttherapeutische Traumarbeit mit unvertrauten und ungelebten Anteilen der eigenen Person bekanntzumachen. Das »Traum«thema befreite uns, glaube ich, von vielen konventionellen Hemmungen: noch nie habe ich mich in einem Seminar so frei und kreativ gefühlt wie damals. Wir wurden zu allen möglichen ungewöhnlichen Tätigkeiten ermuntert: zum Erdenken sprachlicher Ungereimtheiten, zur Ausführung symbolischer Handlungen, zum freien Tanzen u. ä. m.

Wie bereichernd habe ich z. B. jene frühe Vormittagsstunde erlebt, in der wir schweigend und alleine die Zeit »so verbringen sollten, wie es gerade unseren innersten Bedürfnissen entsprach« – wobei wir auch den großen Garten und das vielgestaltige Haus in unsere Aktivitäten einbeziehen sollten.

Eindrücklicher noch als durch die Beschäftigung mit Verhaltenstherapie habe ich dort erfahren, wie wichtig es ist, auf eigene, oft mißachtete, Fähigkeiten hingewiesen zu werden. Eine Analyse der Defizite ist sicher in jeder Therapie auch nötig – die Herausarbeitung der positiven Qualitäten aber wird leider oft vernachlässigt. Die Beschäftigung mit Träumen kann auch unter diesem Aspekt fruchtbar sein.

Wendet man sich erst einmal konsequent und ernsthaft den eigenen Traumproduktionen zu, dann ergeben sich ja – unabhängig von möglichen Deutungen – sehr oft verblüffende Erkenntnisse über den reichen Bilderschatz, über den die meisten Menschen verfügen. Daß die eigene Person Zugang zu oft ungeahnt bunten und phantasievollen Reichen haben kann, ist für manche ein verblüffendes Erlebnis. So viel hat man sich oft gar nicht zugetraut …! Ich finde, daß man als Therapeut jeden Klienten für seine schönsten Träume loben sollte, und ich tue dies auch ausgiebig, wenn mir die Träume wirklich gefallen. Egal, welchen Bereichen diese »Produkte« entstammen – ich finde, sie gehören geschätzt und respektiert wie die vielerlei Erzeugnisse kleiner Kinder. Schwieriger und problematischer ist natürlich die Kunst des »Deutens«. Von meiner eigenen Lehranalyse her hatte ich wenig Zugang zu meinen Träumen gefunden. Deswegen »vergaß« ich Träume als therapeutisches Material bald wieder. Natürlich wurden mir daher auch immer weniger Träume in die Therapie gebracht.

Dies änderte sich, als ich während einiger Monate selbst therapeutische Hilfe bei einer uralten Jungianerin suchte. In einigen Konfliktsituationen nicht mehr zu Rande kommend, hatte mir eine Freundin die Adresse jener alten Frau als »Geheimtip« verraten. Infolge ihres hohen Alters nahm sie nur mehr »Beratungsfälle« an und ich erlebte, welch großen Einfluß – völlig unabhängig von der Methode, die mir als ein recht idiosynkratisches »Privatgemisch« erschien – ein lebenserfahrener, fast »weiser« Mensch ausüben kann, wenn er sich Zeit nimmt, dem Klienten zuzuhören. Übrigens gab es fast keinen »Fehler«, den jene Therapeutin sich dabei *nicht* leistete – jeder Student in der Supervisionssitzung wäre von mir dafür streng gerügt worden. Sie diagnostizierte, sie wertete, sie gab Ratschläge – ja: sie las sogar aus der Hand, – eine Kunst, die sie, ihren Angaben nach, von einem alten Kriminaloberinspektor gelernt hatte. Um mich kennenzulernen, verlangte sie Fotos, Briefe, meine wissenschaftlichen Arbeiten, Zeichnungen u. ä. m.

Ich spürte, mit welcher Intensität sie mich von allen Seiten her zu verstehen versuchte. Dadurch brachte sie auch mich selbst auf neue Spuren. Ihr vor allem verdanke ich – neben dem persönlichen Gewinn – ein vertieftes Verständnis für Träume. Ich habe gelernt, die »Stimmung« eines Traumes ernstzunehmen (selbst und gerade dann, wenn er der bewußt wahrgenommenen Lebenslage nicht entspricht!) – meist als Indikator für Kommendes. Gerade in jener Zeit hatte ich mit einer neuen Therapie begonnen: es handelte sich um eine depressive Frau mit schwerer Migräne, in deren Lebensgeschichte der nichtbewältigte Tod einiger naher Angehöriger eine wichtige Rolle spielte. Jene Therapeutin, der ich ihren Initialtraum erzählte, bewog mich, die Therapie von diesem Traum her zu konzipieren und meinem Gefühl von Optimismus zu trauen. Die Patientin träumte nämlich, sie sei in mein Zimmer gekommen und habe plötzlich wahrgenommen, daß sie nicht mehr richtig bekleidet sei – ihre schwarze Kleidung sei nämlich abhanden gekommen. Schließlich habe sich diese, zusammengeknüllt, unter dem Kissen meiner Couch wiedergefunden. Insgesamt sei das ganze Erlebnis aber weder peinlich noch bedrohlich gewesen. Dieser Traum gab mir also nicht nur wichtige Hinweise auf die Problematik der nicht bearbeiteten Trauer, sondern ein sehr positives Gefühl für alles, was in dieser Therapie passierte. Noch so viele »Widerstände«, Phasen der Resignation und ähnliches konnten mich fortan nicht mehr irritieren – und ich behielt recht.

Jene alte »weise« Frau brachte mich also dazu, meine Träume und die meiner Klienten ernstzunehmen – obwohl mir nie ganz klar wurde, mittels welcher Mechanismen sie ihre »Deutungen« vornahm. Ich denke, daß auch ihr selbst diese nicht durchsichtig waren. Ich konnte jedoch an mir selbst feststellen, daß viele Deutungen genau ins Zentrum meiner Probleme zielten. Besonders aber verblüfften mich die »Blindflüge«, zu denen ich sie verleitete: ich brachte ihr immer wieder Träume meiner Klienten, die mir unverständlich geblieben waren. Daß sie manchmal die zentralen Bestandteile der Lebensgeschichte meiner Klienten daraus zu rekonstruieren wußte, grenzte fast ans Wunderbare.

Ich selbst empfand mich, im Vergleich dazu, immer als Stümper. Trotzdem: im Verein mit Klienten, die »begabte Träumer« sind, habe ich seither manchen Traum ganz gut eingebaut in das therapeutische Geschehen. Oft gibt ein Traum Zuversicht oder er entdeckt immer noch nicht durchgearbeitete Problembereiche. Viele Träume aber besagen mir gar nichts: welche Erleichterung war es daher für mich zu lesen, daß selbst C. G. Jung, der Meister der Phantasie und des Traumes, bekennt, daß er mit vier Fünftel aller Träume rein gar nichts anfangen kann. Der Rest aber bedeute wichtiges Material.

Der Beginn einer Psychodramaausbildung erwies sich für mein therapeutisches Denken und Handeln als nicht besonders relevant, da sich die ganze Gruppe in dauerndem Hader mit der Ausbildungsleiterin befand. Die mir nun schon sattsam bekannte Überdrehtheit »berühmter« Gruppentrainerinnen und -trainer ließ mich ziemlich kalt; der große Aufwand an Hilfs-Ichen, Dopplern, paradoxen Dopplern etc. etc. erschien mir mühsam zu erlernen, die Anstrengung des »großen Spiels« bis hin zum fast unvermeidlichen tränenreichen »Zusammenbruch« erschien mir gekünstelt.

Das Rollenspiel als eine Möglichkeit, manche Probleme hautnah und unmittelbarer zu erleben als in einer nurverbalen Darstellung war mir aber schon zu Verhaltenstherapiezeiten als sinnvolle Methode erschienen – allzu schnell wollte ich mich vom Psychodrama durch die recht unglücklich verlaufene Beziehung zur Gruppenleiterin nicht abbringen lassen. Durch Zufall erlebte ich dann bei einem phantasievollen und einfühlsamen Trainer einen Kurs im »Pädagogischen Rollenspiel«. Es erscheint mir weniger von Technik überfrachtet, einfacher zu handhaben und verbindet eine Reihe von vernünftigen verhaltenstherapeutischen Elementen mit solchen des Psychodramas. So wird eine Szene sehr präzise durchgespielt, in gewünschter Zielsetzung variiert, kann aber eventuell auch in ihre Kindheitswurzeln zurückverfolgt werden. An jeder beliebigen Stelle kann man »stehenbleiben« – eine Kunst, die jener Trainer mir seither auch in einigen anderen Kursen immer wieder nahegebracht hat. Ich vermute, daß gute Psychodramaexperten dasselbe mit ihrer Methode bewirken können und sehe es daher eher als Zufall an, daß ich beim »Pädagogischen Rollenspiel« gelandet bin. Dieses aber setze ich in Lerngruppen (bei Studenten) sehr gerne ein und habe vor, es auch in demnächst beginnenden Gruppentherapien zu verwenden.

Wichtigstes Erlebnis für meine Einstellung zur Psychotherapie war sicher mein Eintritt in eine Balint-Gruppe. Von einer therapeutisch recht »liberalen« jungianisch orientierten Leiterin geführt, habe ich einsehen gelernt, wie wichtig die dauernde Kontrolle durch eine Gruppe ist. Das gesamte Gefüge der Einzeltherapie hat sich für mich dadurch verändert; ich fühle mich in all meinen Gefühlen und Reaktionen nicht mehr alleine, nicht mehr ausgeliefert den Wirrnissen verschiedenster Theoriebestandteile; ich empfinde es als wohltuend, alles, was mich in der Therapie beunruhigt, vor Kollegen ausbreiten zu können. Dies gibt mir eine größere Sicherheit und Geborgenheit während schwieriger therapeutischer Sitzungen. Dazu kommt noch, daß ich erst durch die Balint-Gruppe lernte, die Beziehung zwischen Klient und Therapeut wirklich als den zentralen Bestandteil einer Therapie so ernstzunehmen, wie ich es schon vorher theoretisch behauptet hatte. Die Fragen und Deutungen von Gruppenteilnehmern und Leiterin machten mir in sehr realer Weise jeweils klar, welche Verhaltensweisen des Klienten mich jeweils geärgert oder gefreut hatten, in welches »Spiel« ich mich mit Klienten verstrickte.

Eine der wichtigsten Erkenntnisse für mich war dabei das Erlebnis, wie schnell und geräuschlos ich jeweils Aggressionen von Klienten zu ersticken wußte. Manche Therapie war darüber nicht recht weitergegangen – ich erfaßte nun sehr viel besser, welche Angst ich selbst vor den Aggressionen meiner Klienten hatte. Noch immer wollte ich also die liebenswerte, sympathische Beraterin meiner Jugendzeit sein! – ich versäumte darob dauernd Chancen, meine Klienten mit ihren eigenen Aggressionen zu konfrontieren. Die Theorie der klassischen Verhaltenstherapie – die Beziehung möge »gut« sein, damit der Therapeut als guter »Bekräftiger« und »Modell« wirksam werde – hatte ich in für mich einfacher Weise so übersetzt, als dürften darin nur sanfte und harmonische Gefühle vorkommen. Daß gerade in der Verhaltenstherapie viele Aggressionen ausgelöst werden können (z. B. der Direktivität wegen!), wurde mir erst in der Balint-Gruppe klar. Ich versuchte nun auch theoretisch, mir über dabei entstehende psychische Mechanismen klarzuwerden.

Eine weitere Erkenntnis, die ich in der Balint-Gruppe gewann, war die Einsicht in die Funktion der Problemformulierung des Klienten. Wie schwierig war es mir bei manchen Klienten immer wieder geworden, beim definierten Problem »zu bleiben«. Oft war ich mir vorgekommen wie einer, der mit bloßen Händen Fische fangen will: immer wieder war mir das Problem »entwischt«. Dies betraf zwar nicht alle Klienten – viele Psychosomatiker bleiben ja recht stur bei ihrer unlösbaren somatischen Problemdefinition – aber einige machten mir damit sehr zu schaffen. Ich bekam – getreu meiner verhaltenstherapeutischen Sozialisation – immer noch ein schlechtes Gewissen, wenn jede Therapiestunde etwas anderes »dran« war; ganz so, als hätte es die detaillierte Problemanalyse der vorigen Stunde nicht gegeben. Die Balint-Gruppe lehrte mich, darüber anders zu denken: ich mußte die Funktion dieses »Problemwechsels« analysieren – dann würde er seiner nurdefizitären Struktur entkleidet. Diese Funktion aber hatte viel zu tun mit meiner Beziehung zum Klienten. Sie konnte ebensogut in einer unbewußt gewollten Verwirrung meiner Person bestehen als auch in einem Austesten, ob ich den Klienten »aushalten« könne. Es ist fast unmöglich, objektive Kriterien dafür zu finden, welche Funktion der Problemwechsel hat. Also mußten meine subjektiven Gefühle, die Kenntnis der Lebensgeschichte u. ä. m. herhalten, um diese Funktion zu analysieren. Wenngleich noch immer nicht der psychoanalytischen Therapiemethode verhaftet, mußte ich bei dieser Art der Betrachtung sehr viele Informationen bedenken, die auch für den Analytiker wichtig sind. Ich begann, mein Augenmerk wieder sehr viel stärker auf die Kindheit zu lenken.

Die Balint-Gruppe hatte aber auch ihre Tücken – wobei diese Tücken auch, wie ich meine, grundsätzlichen Schwierigkeiten des psychoanalytischen Denkens entsprechen.

Eine davon betraf die Einstellung zum Verhältnis der »gesunden« zu den »kranken« Anteilen der Person. Hier traf ich so etwas wie ein grundsätzliches »Mißtrauen« gegenüber den »funktionierenden« Lebensbereichen, eine Pathologisierung selbst der Symptomverbesserung. Ich hatte (und habe) immer wieder Mühe, mich dagegen zu wehren. Warum sollte Normans Verbesserung der Migräne nur eine mich beruhigende

»Ablenkung« sein, damit er seine Angst vor Frauen nicht bearbeiten müsse? Schließlich war ja auch dies kein Tabu zwischen uns und sein Leben war ohne die dauernden Kopfschmerzen wirklich sehr viel leichter ... Und daß Marga nun trotz ihrer Aggressionen an ihrer Dissertation schrieb, konnte doch eigentlich auch nichts Böses bedeuten: man mußte schon sehr spitzfindig sein, um darin eine gegen mich gerichtete Abwehr zu sehen ... Bei solchen Problemen war und bin ich immer ein wenig hilflos; es scheinen oft die anderen zu sein, die solches »diagnostizieren«, wobei meine Abwehr dagegen natürlich auch wiederum der Diagnose unterliegt. (»Du kannst dich von deinem Erfolg nicht trennen!«)

Natürlich hing dies mit meiner Schwierigkeit, Aggressionen der Klienten zu sehen und zu ertragen, zusammen. Ich erfuhr, daß ich zum »Harmonisieren« neige – ein sicher nicht unberechtigter Vorwurf. Diese Neigung, so meine ich, gibt mir allerdings auch immer wieder die Fähigkeit, ziemlich schnell Positives, Fortschritte, ermutigende kleine glückliche »Inseln« im Meer der Probleme zu sehen. Ich freue mich darüber – oft vielleicht allzu sehr, als daß ich die überall drohenden Gewitterwolken auch noch wahrnehme. Ich denke, daß dies meinen therapeutischen Stil sicher beeinflußt. Ich möchte dies auch nicht unbedingt verändern – ich bin aber froh, daß die Balint-Gruppe mich auf diese Harmonisierungstendenz aufmerksam gemacht hat.

Eine andere Schwierigkeit betrifft die diagnostische Nomenklatur. Je länger wir zusammenarbeiteten, desto einseitiger wurden unsere Etiketten. Dem Zug der Zeit entsprechend, sprachen wir bald allzu oft von »frühen narzißtischen Störungen« – was uns natürlich immer weniger besagte. Da die Narzißmuskritik offenbar gerade jetzt beginnt, erspare ich es mir, auch noch meine eigenen Ansichten dazu bekanntzugeben. Jedenfalls wirkte sich dieses »Etikett« auf unsere Arbeit oftmals doch recht entdifferenzierend aus. Es hieß bald nichts anderes mehr, als daß wir mit einem Klienten recht »vorsichtig« umgehen müßten, daß wir die Therapie auf lange Zeit hin planen sollten und daß der erwartete Erfolg kein allzu großer sein könnte. Da die Therapien vieler Klienten diesem Schema gehorchen, wurden wir oft bestätigt. Ergab sich anderes, wurde die Eingangsdiagnose einfach »vergessen«.

Diese Schwierigkeiten – die schließlich von allen Teilnehmern produziert und daher auch korrigiert werden können – sind aber selbstverständlich geringfügig im Vergleich zu den vielen Vorteilen einer Supervisionsgruppe. Seit ich wiederum gezwungen bin, mich dem Urteil von Kollegen zu stellen, sind meine Therapien in sich konsistenter, getragen von klareren Leitlinien, irgendwie unproblematischer. Aus eigener Erfahrung weiß ich, wie leicht ein Therapeut »schludrig« wird, wenn diese Kontrolle fehlt. Mehr und mehr bin ich der Meinung, daß man die Berechtigung zur Ausübung des Berufes eines Therapeuten an die Bedingung der dauernden Supervision knüpfen sollte. Der Therapiebereich ist zu unstrukturiert, zu widersprüchlich und subjektiv, als daß man ihn ohne kontrollierende Instanz betreten sollte. Dies erscheint mir wesentlich wichtiger als sämtlich A- und B-Scheine der Gesprächstherapeuten, als die perfekt durchgeführten Anamnesen und Kontrollanalysen der Psychoanalytiker. So wichtig all dies sein mag: es ersetzt nicht die lebenslang dauernde Kontrolle.

Vieles, was ich durch andere Therapeuten und/oder Kollegen gelernt habe, ist schlecht an einem einzigen Punkt oder Kurs festzumachen. Ich glaube, daß es z. B. vor allem die durchgehende »Haltung« der Gestalttherapie war, die mich ein wenig »ent-intellektualisierte«, vor allem in bezug auf die diagnostischen Anteile des therapeutischen Prozesses. Hatte ich früher vor allem die verbalen Mitteilungen des Klienten aufgenommen, so waren es jetzt auch die Mimik und Gestik, die gesamte »Ausdruckskraft« einer Person. Ich gehe unter anderem auch meinem körperlichen Gefühl nach, wenn ich mir die Möglichkeit (oder Unmöglichkeit) einer Therapie vergegenwärtige. Dies ist zwar ein verbal kaum faßbarer und schlecht validierbarer Weg – trotzdem fange ich an, ihm zu vertrauen. Nie werde ich jenen Gestaltkurs vergessen, in dem die schüchterne, schlecht durchsetzungsfähige Elisabeth in bewegten, aber leisen Worten ihr Leid klagte. Der Trainer fuhr sie ungerührt an: »Sprich lauter, ich verstehe dich kaum.« Elisabeths Stimme hob sich gehorsam, sank aber bald wieder zum gewohnten Murmeln. Wie vom Donner gerührt, fuhren wir alle herum, als der Trainer plötzlich brüllte: »Hör' auf mit dem faden Gejammere, ich hör' dir schon gar nicht mehr zu – entweder du redest jetzt laut oder du läßt es ganz sein. Wahrscheinlich *willst* du uns gar nichts mitteilen ...« Und siehe da: Elisabeths Augen blitzten und sie schrie mit lauter Stimme: »Du blödes Arschloch du, ich hab' dich bezahlt, also streng' dich gefälligst an! ...« Da begriffen wir alle, was in Elisabeth steckte. Und als Dora, die reichlich tantenhaft gekleidete und sich gebende Endvierzigerin, die ihrem ungetreuen Ehemann schon seit fünf Jahren nachjammerte, sich in unsere Mitte stellen mußte, um sich von uns »bewundern« zu lassen, konnte ich (nachdem sie ihre lächerliche Schmetterlingsbrille abgenommen hatte) etwas ahnen vom Charme eines koketten kleinen Mädchens, das Bewunderung verlangt.

Ich bin mir der Gefahr solcher Eindrücke und Empfindungen bewußt. Ich fühle mich auch selbst noch immer als zu gehemmt, um meinen eigenen Empfindungen vorbehaltlos zu trauen. Auch glaube ich nicht, daß dies je zu meiner »Domäne« werden könnte. Ich bin aber ganz froh, daß ich zumindest darum weiß und selbst einiges erlebt habe.

Ein sehr unangenehmes Bioenergetikseminar machte mir klar, daß ich auf keinen Fall den Körper und seinen Ausdruck in den Mittelpunkt stellen möchte. Vielleicht hat es am Trainer gelegen (einem mit besonders eklatanter Psychosprache ausgestatteten Pseudohippie) – aber ich empfand vor allem auch die verwendeten Metaphern primitiv. »Laß alles 'raus – ja – es kommt – bleib' bei dir, die Wut kommt schon ...« – diese und ähnliche Sprüche bei Menschen, die hyperventilierten und sich am Boden wanden, erschienen mir dumm und geschmacklos. Wieder einmal erlebte ich, daß aus jenem Seminar eine Teilnehmerin, die eine Zeitlang im Mittelpunkt gestanden hatte, plötzlich verschwand. Niemand suchte sie, sie hatte es eben »einfach nicht durchgehalten« – ihr Pech!

Eine Therapieform, mit der man bei uns leider nicht so leicht praktische Erfahrungen am eigenen Leib machen kann, ist die Kognitive Therapie. Obwohl jeder davon redet, er ginge »irgendwie kognitiv« vor, scheint dieses Vorgehen nur bei Ellis und Beck einigermaßen nachvollziehbar.

Mit der Kognitiven Therapie habe ich also nur durch die Literatur Berührung gehabt und kenne leider keinen der »typischen« Vertreter dieser Richtung. Als ich aber darüber las, ge-

riet ich sehr schnell in Widerspruch. Nachdem wir Verhaltenstherapeuten uns gerade von der »Ideologie« unserer »Wissenschaftlichkeit« zu lösen begannen: sollte hier etwa ein neues
Prokrustesbett bereitgestellt werden?

Ich habe über Kognitive Therapie ein Buch geschrieben, einige Artikel verfaßt und mir durch all dies etliche Feinde einge-
handelt. »Was hast du, um Himmels willen, gegen die Kognitive Therapie?« fragen mich meine Freunde aus der Verhaltenstherapiezeit. »Sie ist doch ein Fortschritt!« Nun, sicher – gegenüber einer orthodoxen Verhaltenstherapie, die an Konditionierungsmechanismen glaubte, ist sie sicher ein Fortschritt. Ich
kann aber beim besten Willen nicht entzückt sein, wenn Therapeuten nach einigen Jahren intensiver Bemühung um gestörte
Menschen voll Verwunderung feststellen, daß diese auch »denken und fühlen«.

Genauso geht es mir mit der berühmten »Kognitiven Wende«
in anderen Bereichen der Psychologie. Natürlich ist sie als Ge-
gengewicht zum Behaviorismus erfreulich – dies spricht aber
gegen den Behaviorismus, nicht für die Genialität der Entdek-
ker »kognitiver Faktoren«. Offenbar aber war die »Kognitive
Therapie« für viele Verhaltenstherapeuten deshalb wichtig, weil
sie das legitimierte, was sie immer schon getan hatten: nämlich
sich intensiv mit den Gedanken- und Erlebensweisen ihrer
Klienten auseinanderzusetzen, Inkongruenzen festzustellen
u. ä. m. Beck und Ellis haben hier einiges systematisiert, was
immer schon »irgendwie« getan wurde. Das ist sicher gut. Die
dabei implizit mittransportierten Vorstellungen vom Menschen –
daß dieser »im Prinzip« rational sei und Gefühle durch Aufklärung und Erkennen logischer Fehler korrigiert würden –
stören mich allerdings dabei. Dieses Menschenbild fällt weit
hinter allem zurück, was auch aufklärerische Philosophen über
die Dialektik zwischen Trieb und Vernunft des Menschen fest-
gestellt haben. Mein Aufsatz darüber in »Psychologie Heute«
wurde allerdings von vielen Kollegen als eine prinzipielle Verwerfung von Methoden der Kognitiven Therapie verstanden.
Dies sollte es nicht sein. Ich halte es in manchen Phasen der
Therapie und bei manchen Klienten für sinnvoll, wenn sie sich
der möglichen Kontrollierbarkeit von Gefühlen durch logi-
sches Denken bewußt werden; ich finde es gut, wenn typische

»Muster« des Denkens und Fühlens freigelegt werden. Ich halte dies alles aber nur für einen sehr kleinen Bestandteil der Therapie; die vorgeschlagenen Methoden für einen zu engen Ausschnitt, um dies alles zu erreichen.

Ob meine Streifzüge durch die Psychoszene damit beendet sind? Ich weiß es nicht genau.

Immer wieder lasse ich mich von interessant klingenden neuen Konzepten anlocken. Ich erwarte immer wieder ein »großes Erlebnis« für mich persönlich oder für mich als Therapeutin. Natürlich bin ich aber meinen eigenen Erwartungen gegenüber auch skeptisch. Wird sich wirklich noch so viel Neues tun?

Weitere Horizonte erkunden:
Gesellschaft und Psychotherapie

Mein »Einfall«, Psychotherapeutin zu werden, sowie meine gesamte Studienzeit lag, wie ich schon geschildert habe, in einer ganz und gar »untherapeutischen« Zeit.

Wenn man als Psychologe noch vor den späten sechziger Jahren gearbeitet hat und diese Zeit mit der heutigen vergleicht, ist man verblüfft über die Diskrepanz der gesamten sozialen Umwelt, in der man sich hinsichtlich seines Berufes befindet. Als ich studierte (Mitte bis Ende der fünfziger Jahre), war es eher »exotisch«, Psychologe werden zu wollen; Prestige gab es dafür zwar nicht, aber das war auch nicht nötig, da man es sowieso für ein »Höhere-Töchter«-Studium hielt. Ich weiß nicht, wie meine männlichen Kollegen damit zurechtgekommen sind (die meisten wollten wohl »Professor« werden?!) – ich selbst habe mich mit dieser Abwertung meines Studiums wohl ein Stück weit identifiziert, weshalb ich anschließend ja auch in einem fachfremden Institut mein Geld verdiente.

Keiner wußte so recht, was ein Psychologe zu tun hat. Niemand fragte nach möglichen Arbeitsgebieten – selbst die Vorstellung vom komischen Psychoanalytiker war nur mehr sehr blaß vorhanden. Auch ich selbst konnte mich nicht als berufstätige Psychologin oder gar als Therapeutin sehen. Am ehesten dachte ich natürlich an die Tätigkeit eines Testpsychologen im Arbeitsamt – dies war vorderhand die einzige Form, in der ich selbst einen Psychologen erlebt hatte.

Daß ich mein Studium trotzdem durchgestanden habe, mag verwundern – zum Teil schulde ich dies wohl der Durchhaltevernunft meines Elternhauses (»Was man begonnen hat, muß man vollenden«); zum anderen aber hielt ich doch auch noch meinen ursprünglichen Traum von der tieferen Einsicht in andere Menschen fest. Mir war zwar zunehmend unklarer geworden, wie ich ihn erfüllen konnte – aber eine leise Hoffnung darauf, daß mein Beruf mir dabei behilflich sein könnte, hat mich nie verlassen.

Sicher klingt es ganz unglaublich – aber im Kreis der Psychologiestudenten wurde damals meines Wissens kein Wort verloren über eine konkrete spätere Berufstätigkeit.

Von meinen damaligen näheren Freunden wurden nach dem Studium zwei männliche Kollegen Universitätsassistenten, einer wurde mit Protektion eines Onkels in einer großen Lebensmittelkette zum Jungmanager ausgebildet, einer heiratete die wohlhabende Erbin eines Gewerbebetriebes und übernahm das Geschäft des Schwiegervaters, einer wurde Musikkritiker und Assistent in einem Musikverlag. Nur eines der Mädchen bekam eine »richtige« Psychologenstelle in der Kinderklinik. Sie erzählte uns, daß sie dort sehr häufig den Schwestern helfe. »Was soll ich sonst tun?« fragte sie naiv, »wenn ich sehe, wie viel die arbeiten, dann helfe ich halt beim Windelzusammenlegen und beim Füttern der Babies.« Eine andere von uns hatte vorsorglich ihr Lehrerexamen absolviert und gab Unterricht in Englisch und Philosophie. Ich selbst entwischte in die Soziologie. All dies geschah mehr oder weniger zufällig und ungeplant – wir zerbrachen uns nicht lange die Köpfe darüber. Im Wirtschaftswunderzeitalter hatte man natürlich auch keine Angst vor Arbeitslosigkeit. Mit unserem abgeschlossenen Studium in der Tasche konnte uns keinesfalls etwas passieren. Wir konnten es uns also leisten, über die Notwendigkeiten des Geldverdienens vornehm hinwegzusehen.

Wie aber stand es mit der psychologischen Umwelt und unserem persönlichen Denken in psychologischen Kategorien? Ich kann mich kaum an Gespräche erinnern, in denen wir uns selbst analysierten, uns etwa auf unsere Gefühlszustände besannen oder uns versuchsweise mit psychologischen Etiketten versehen hätten. Wir hatten einfach keine Sprache dafür.

Die objektivierende Art, in der wir uns und unsere Umwelt mittels Tests zu beurteilen lernten, trug nicht dazu bei, die Ergebnisse reflektierbar zu machen. Unser IQ und unsere Scores auf Persönlichkeitsdimensionen standen fest wie Blutdruck und Körpergröße. Was gab es darüber lang zu diskutieren? Wenn einer »introvertiert«, »schizoid« oder »depressiv« war, dann mußte dies entweder hingenommen oder (was andeutungsweise geschah) im Hinblick auf die Testmethode relativiert werden. Nach Rohrachers »Kleiner Charakterkunde«

lernten wir auch, mit dem Begriff des »Typus« umzugehen. Wir probierten die verschiedenen »Typen« an wie Kleider im Kaufhaus. »Paßt ... paßt nicht ... paßt ganz gut ...« Rohrachers sehr deutlich vermittelte Skepsis gegenüber diesen Konstrukten (der »feste« und der »flüssige Gehalt« nach N. Ach, die Kretschmerschen Typen etc.) war auch für uns prägend. Natürlich warfen wir den ganzen Krempel lachend beiseite, wenn klar wurde, wie »gesponnen« das alles war.

All das hatte mit unserem Leben nichts zu tun, wir konnten es nicht verwenden, um unsere eigenen Probleme zu lösen oder auch nur zu strukturieren.

Obwohl wir uns alle der Promotion näherten (in Österreich ist dies die erste Stufe des akademischen Abschlusses, Diplom gab es damals noch nicht), sprachen wir über uns, unsere Beziehungen und Probleme nur in sehr mühsamen Wendungen, die mit unserem Studium nichts zu tun hatten. Zufällige Literaturerlebnisse, elterlicher Einfluß, religiöse Normen u. ä. gaben die Muster ab.

Einer meiner klügsten und interessantesten Kollegen holte sich seine Sprach- und Denkvorbilder z. B. aus der Ethnologie. Die Maori waren sein Lieblingsvolk. Wenn ihm mein Rationalismus mißfiel, konnte er etwa sagen: »Du hast schon wieder einmal deine Seele angebunden«, und wenn ich mehr aus mir herausging, »Heute fährst du den langen Fluß mit offenen Segeln herunter«.

Ein anderer hatte literarische Vorbilder: »Eine verhuschte Person« – das war Thomas Mann; »eine Wolfsnatur«: Hermann Hesse ... etc. Dazwischen gab es viele »normale« Alltagspsychologie: »Ein Egoist, ... ein guter Mensch, ... ein Windhund ...«

Sehr viel ließ sich mit diesen Kategorien nicht anfangen, da sie allzu statisch konzipiert waren. Und wie es mit statischen Konzepten ganz allgemein geht: sie boten auch nicht viel Veranlassung zur Diskussion. Weder wußten wir uns darüber zu unterhalten, wie es zu bestimmten »Eigenschaften« vielleicht gekommen war, noch dachten wir an mögliche Veränderungen. So hatten wir natürlich auch kein richtiges Sozialisationskonzept; Entwicklung stellte sich uns dar als eine hauptsächlich von innen bestimmte Abfolge vieler »Phasen«. Über Veränderungen im erwachsenen Alter – etwa durch Therapie – hörten wir so gut wie nichts.

Nichts von dem, was wir für unsere Prüfungen zu lernen hatten, konnten wir zu uns selbst, unseren Partnern und unseren Alltagsproblemen in Beziehung bringen. – Man war mehr oder weniger geschickt in den für die Dissertation nötigen Formalisierungsarbeiten – die Ergebnisse aber interessierten kaum einen von uns. Es war ein fast absolutes l'art pour l'art-Spiel; Wissenschaft und Leben hatten nichts miteinander zu tun. Natürlich fiel vielen von uns auch kein Thema für die Dissertation ein, man erbat sich häufig eines von den Betreuern und haspelte es dann mehr oder weniger gekonnt ab, wobei man sich bemühte, möglichst alle gängigen statistischen Verfahren hineinzubringen.

Ich selbst hatte wieder einmal einen meiner wunderbaren »Einfälle« – ich denke, daß er der (heimlichen) Beschäftigung mit dem Gegensatz von verstehender und erklärender Wissenschaft entsprang. Ich wollte nämlich »Denktypen« untersuchen und hatte dabei eine vage Vorstellung von Menschen, die vorwiegend logisch-formal dachten und solchen, deren Denkergebnis einer eher assoziativ-intuitiven Denkbewegung entsprang. Mit diesem Thema wußte natürlich niemand etwas rechtes anzufangen – es galt als »zu groß«. Ich war sehr unsicher, obwohl ich sogar einige Literatur – z. B. das fast vergessene Habilitationsmanuskript eines im Kriege gefallenen Wiener Privatdozenten – dazu fand. Mein Elan aber wurde empfindlich gebremst, als mir ein Mitarbeiter des Instituts auf meine beklommene Frage hin kurz und bündig erklärte, er »glaube« nicht an Denktypen. Es gäbe nur eine einzige Möglichkeit zu denken; nur das Ergebnis könne richtig oder falsch sein. Leute, die anders dächten, seien einfach selbst ein wenig *dumm*. Natürlich ließ ich das Thema sofort fallen und untersuchte auf Anraten meines Professors »Aufmerksamkeitsschwankungen«, wobei ich meine Versuchspersonen stundenlang sinnlose Silben lesen und einfache Rechenaufgaben lösen ließ.

Ich denke eigentlich mit Trauer an jene Zeit zurück, wo alles, was mich wirklich interessierte, als spleeniger Jungmädchentraum angesehen wurde.

Wir hatten also weder Vokabular noch die nötigen psychologischen Konzepte, um unser eigenes Leben zu thematisieren – und so stellte sich auch das Bedürfnis danach gar nicht richtig ein. Verglichen mit der heutigen Psychologengeneration haben wir auffallend wenig über uns selbst gesprochen und nachgedacht.

Ich weiß nicht, wie meine Freunde dies empfunden haben – ich aber vermißte diese Themen sehr bewußt. Ich dachte oft an meine katholische Teenagerzeit; wenngleich es mir natürlich nicht mehr möglich gewesen wäre, in jener schwärmerisch-religiösen Weise über mich und andere zu sprechen, hatte ich doch das Gefühl, als seien unsere Gespräche nun schaler geworden.

Wir bekamen also wenig überzeugende Psychologentätigkeit zu sehen – zumindest was die Erwachsenen betraf. Über Kindertherapie allerdings gab es schon ein wenig mehr zu erfahren. Bei Professor Asperger wurden Kinder getestet und meist einige Wochen lang in der Klinik behalten. Bei meinem kurzen Praktikum hatte ich gesehen, daß man mit ihnen »spielte«, ohne daß mir irgendeine theoretische Grundlegung dieses Spiels klar wurde. Ich weiß bis jetzt nicht, ob es eine gab.

In einer Schulberatungsstelle, wo ich ein Praktikum machte, wurden schlechte Schüler getestet. Die Diagnose lautete entweder »Unterbegabung« oder »Legasthenie«. Letzteres wurde übrigens meist mit Linkshändigkeit gleichgesetzt, wobei die vielen nicht stimmigen Fälle als »verdeckte Linkshändigkeit« diagnostiziert wurden. Möglicherweise tue ich jener Stelle Unrecht, vielleicht hat sie erst später irgendein vernünftiges Beratungskonzept entwickelt. Ich jedenfalls konnte damals nicht feststellen, daß diese Diagnosen Handlungsanleitungen hervorbrachten. Bei einer privat arbeitenden Psychologin, die in Schweden ausgebildet worden war, lernte ich – zumindest theoretisch – das System der »Child-Guidance«-Kliniken kennen. Meine Aufgabe wäre es wiederum gewesen, mit den Kindern »zu spielen«, während die Psychologin mit den Eltern sprach. Das wirkliche Child-Guidance-Konzept mit seinem multiprofessionellen Team konnte in der privaten »Ein-Frau«-Praxis natürlich nicht durchgeführt werden. Irgendeine erkennbare theoretische Grundlage für das »Spielen« gab es auch hier nicht, weshalb ich mich mit den Kindern meist schrecklich langweilte. Hatte ich eines der lieben Kleinen dazu gebracht, mit mir im

Sand etwas zu bauen oder den Sceno-Test zu benutzen, dann erschien anschließend die Psychologin mit einer »Deutung«. »Aha, er fühlt sich beengt« – wenn der Zaun benutzt wurde, um etwa ein Pferd einzusperren. Oder: »Sie fühlt sich von der Mutter nicht akzeptiert«, wenn etwa die Mutterperson ohne ihre Kinder irgendwo eingesetzt wurde. Ich empfand das alles als aufgesetzt und willkürlich und konnte auch überhaupt nicht sehen, daß es irgendetwas mit den Ratschlägen an die Eltern zu tun hatte. Auch fand ich die Erfolge nicht recht überzeugend – Bettnässer näßten meist weiterhin ein, Nägelkauer blieben nervös und nur mutistische Kinder begannen langsam zu sprechen – allerdings nur in der Therapie.

Ich wunderte mich, daß die Mütter immer wiederkamen. Hinterher denke ich, daß jene Therapeutin dadurch, daß sie die Mütter (manchmal auch die Väter) überhaupt beachtete und ins Gespräch zog, schon eine ganze Menge Entlastung in oftmals prekäre familiäre Situationen brachte.

Was mir in meiner wissenschaftlichen Arroganz nämlich entgangen war, war die Tatsache, daß es sich bei den problematischen Kindern fast ausnahmslos um sogenannte Unterschichtkinder handelte.

Diese noch recht junge Psychologin hat dabei sicher kaum etwas verdient; da ihr Vater ein berühmter Wiener Industrieller war, konnte sie sich dies zwar leisten – trotzdem möchte ich ihr meinen verspäteten Respekt dafür, daß sie sich dies – (anstatt teurer Parties und Reitausflüge in den Prater) – leistete, voll und ganz zukommen lassen.

Damals aber verachtete ich solches Tun als »unprofessionell«. Irgendwann verzichtete die Therapeutin auch auf meine Mithilfe – freundlicherweise ohne mir direkt zu sagen, wie untüchtig ich gewesen war. Sie formulierte höflich, daß wohl »das Theoretische« mehr meine Sache sei. Ich beschloß, mich auf keinen Fall als Kindertherapeutin zu etablieren – noch lange Zeit kapierte ich nicht, daß mein Interesse für »den Menschen« auch durch genaue Beobachtung an Kindern hätte Nahrung erhalten können. Meine eher intellektuell-rationalistische Herangehensweise an Menschen machte mir Probleme bei Kindern – ich hatte Angst vor ihnen.

Die Atmosphäre Psychologischer Institute in den fünfziger

Jahren war sicher an wenigen deutschsprachigen Universitäten dazu angetan, den Wunsch nach therapeutischer Tätigkeit zu unterstützen. Man konnte sich höchstens in Gegensatz zum herrschenden Trend an eines der im Schatten dahinvegetierenden psychoanalytischen Institute wenden. Ich selbst war zu angepaßt, um dies zu tun.

In der Schweiz herrschte ein viel ungebrocheneres Verhältnis zur Tradition der Psychoanalyse. Es gab ältere jüdische Analytiker (einer davon war noch bei Freud analysiert worden) und es gab natürlich sehr viele Anhänger von C. G. Jung sowie – Spezialität der Schweizer – die Daseinsanalyse von Boss. Die Metropole der Psychoanalyse allerdings war Zürich – wir in Bern bekamen das »große Geschehen« nur am Rande mit.

Immerhin: ich hatte überhaupt einmal Gelegenheit, »echte« Therapeuten kennenzulernen; ausgestattet mit allen Vorbehalten meiner allerdings eher langweilig-positivistischen Ausbildung fand ich in der »Berner Gesellschaft für Psychologie« (so oder ähnlich nannte sich diese Gruppe) an manchen Abenden das, was die Analytiker vorbrachten, doch nicht uninteressant. Dies betraf vor allem die häufig geisteswissenschaftlich gebildeten und interessierten Jungianer. Der Vortrag eines besonders gut aussehenden jungen Mannes namens T. entdeckte mir den psychotherapeutischen Prozeß als eine Reise in ein gar wunderbares Land, in dem es von bunten Bildern und Mythen nur so wimmelte. Bei Spörri entzückte mich – in einem Vortrag über die Gemeinsamkeit der Sprache des Schizophrenen mit dem sektiererischen »Zungensprechen« – die Originalität des Themas und der empirische Zugang. Auch das Ehepaar Tausch lernte ich auf diese Weise kennen – ihre Untersuchungen kamen an das, was ich als »wissenschaftlich exakt« bewundern gelernt hatte, schon sehr nahe heran. Der Gedanke, sich als Therapeut auszubilden, verlor im Laufe der Berner Zeit seine komischen Aspekte. Trotzdem weihte ich lange Zeit keinen meiner Berufskollegen in meinen Entschluß ein, eine Lehranalyse zu machen. Auch als ich es getan hatte, war ich noch lange Zeit bereit, das ganze Unternehmen um irgendeiner Pointe willen zu »verraten« – ungeachtet der Tatsache, daß ich schon tief drinsteckte in der Auseinandersetzung mit mir selbst.

Die Atmosphäre in Bern war zwar offensichtlich von der

Psychoanalyse sehr viel mehr geprägt als die in Wien – aber ich gehörte trotzdem nicht dazu. Meine Ambivalenz bewirkte, daß ich nur sehr langsam meinen Weg finden konnte – ich suchte keinen persönlichen Kontakt zum Kreis der Analytiker, selbst dann nicht, als ich schon meine Lehranalyse absolvierte.

Der »Zeitgeist« war noch kein psychologischer. Erst im Gefolge der 68er Ereignisse änderte sich dies fast schlagartig. Nun wurde in progressiven Zirkeln die allgemeine Offenheit praktiziert, ja: gefordert. Zum Aussprechen und Analysieren der Probleme diente eine vulgarisierte Psychoanalyse, die mit marxistischen Kategorien zur Deckung gebracht werden sollte. Es war nun nichts Besonderes mehr, wenn in einer öffentlichen Diskussion ein Mädchen von seinen Orgasmusschwierigkeiten berichtete und diese damit erklärte, daß es sich »als Sexualobjekt ausgebeutet« fühle. Die Frage der leider immer wieder auftretenden Eifersucht wurde mit dem Problem verknüpft, ob denn einer des anderen »Eigentum« sein dürfe ... u. ä. m.

Ich wurde nun – als Therapeutin in der Studentenberatungsstelle arbeitend – mit diesen Problemen ununterbrochen konfrontiert. Nun hatte aber meine verhaltenstherapeutische Phase bereits begonnen – Derivat einer kapitalistisch-positivistischen Wissenschaft! Wie konnte ich also beides zur Deckung bringen? Und wie war es zu erklären, daß die 68er »Psychologisierungs- und Therapeutisierungswelle« sowohl die Psychoanalyse als auch die psychologischen Therapien nach sich zog? Und keineswegs wurde etwa die Verhaltenstherapie nur von reaktionären Therapeuten ausgeübt, während die Vertreter der Psychoanalyse etwa besonders fortschrittliche Sozialisten gewesen wären. Diese Trennung verlief quer durch die Fronten und verschob sich im Lauf der Zeit eher zugunsten der Verhaltenstherapeuten. Eben dies aber war auch der Grund für eine Vielzahl recht verworrener Probleme und Diskussionen – miteinander, gegeneinander und gegen psychoanalytische Kollegen.

Sicherlich war die Verhaltenstherapie – Abkömmling der Lerntheorie – im Gefolge eines positivistischen Wissenschaftsideals sowie im Sinne größerer Wirtschaftlichkeit in die USA-getreuen bundesdeutschen Universitäten eingezogen. Ihr – reichlich Überschätzter – manipulativer Charakter schien die reflexiven zugunsten der automatisierbaren Anteile der Psyche zu vernachlässigen. Kapitalismuskritik und VT-Kritik vertrugen sich daher gut. Hier die total verwaltete, funktionalisierte Ware Arbeitskraft – dort der zurechtkonditionierte, dem Arbeitsmarkt anzupassende psychisch Gestörte. Hier die »geheimen Verführer« – dort die operant zu bekräftigenden Gefühle von positiver Lebensauffassung. Dagegenzusetzen war die Psychoanalyse mit ihrer Aufdeckung repressiver Mechanismen, in denen sich die Gesellschaft spiegelte – gleichzusetzen den aufklärerischen Vorboten der Revolution, als deren Vorreiter sich viele Studenten empfanden.

Daß viele der jungen Verhaltenstherapeuten sehr fortschrittliche Konzepte der psychosozialen Versorgung vertraten, paßte zwar nicht recht zu den »Ursprüngen« einer positivistischen Wissenschaft – wenn man diese als den Ursprung der Verhaltenstherapie annahm. Ließ man allerdings die Lerntheorie weg und reduzierte die Verhaltenstherapie auf einige praktikable Heurismen, mit denen sich gut arbeiten ließ, dann war man aus diesem Dilemma entlassen. Noch aber waren wir nicht soweit.

Das Schicksal des »Deutschen Berufsverbandes für Verhaltenstherapeuten« (DBV) und der »Gesellschaft für Verhaltenstherapie« (GVT) spiegelte unsere politische und später auch wissenschaftstheoretische Zerrissenheit. Die (damalige) GVT war die Gründung einer Gruppe meist junger Münchener Verhaltenstherapeuten rund um Professor Brengelmann. Ihr Ziel war – ganz allgemein – die »Förderung« der Verhaltenstherapie. Die Person ihres Gründers sorgte dafür, daß allzu »fortschrittliche« Ideen vorerst nicht aufkommen konnten.

Ein wenig später beschloß eine Gruppe von Psychologen in Münster und Bochum (dem zweiten Zentrum der deutschen Verhaltenstherapie) die Gründung eines Berufsverbandes. Hier ging es neben der Förderung vor allem um die Bewahrung berufspolitischer Interessen – aufgenommen wurde nur, wer fertiger Therapeut war. Die Aufnahmekriterien waren sehr viel strenger. Die führenden Verhaltenstherapeuten der damaligen Zeit saßen alle an den Universitäten; sie waren fast durchweg Assistenten oder wissenschaftliche Angestellte von universitätseigenen Beratungsstellen: also recht jung, ziemlich ehrgeizig und geprägt von ihrer experimentellen Psychologieausbildung. Das war vorderhand eine gute Voraussetzung für Rezeption und Entwicklung einer sehr rationalistisch verstandenen Therapieform. Es erklärt die einstweilige Unbekümmertheit, mit der sie viele der nachmals so wichtig gewordenen Probleme einfach »übersprangen«.

Da ich in Fragen von Organisation, Verwaltung und Politik immer schon recht naiv war, machte ich bei der Gründung des »Deutschen Berufsverbandes für Verhaltenstherapeuten« (DBV) begeistert mit. Unsere Ziele erschienen mir gut vertretbar, die »Reinhaltung« unserer »wissenschaftlich fundierten« Methode schien auch für die notleidende Bevölkerung wichtig.

Erst im Laufe der vielen Auseinandersetzungen mit der GVT wurde mir langsam klar, daß ein standespolitisch orientierter Berufsverband tatsächlich (schreckliches Vorbild war immer wieder der ärztliche Hartmannbund!) leicht in Gefahr gerät, nur die egoistischen Interessen seiner Mitglieder zu vertreten und daß unsere Statuten keinerlei Gewähr dafür boten, daß sich diese nicht durchsetzen könnten. Um die Verhaltenstherapie »rein« zu erhalten, hatten wir sogar ein System von Ausbildungskursen vorgeschlagen, das von den Auszubildenden selbst bezahlt werden sollte. Wenngleich immer wieder mit Einschränkungen versehen – die Förderung der Verhaltenstherapie an den Universitäten war ein anderes wichtiges Ziel – ließ sich doch vorausahnen, daß hier ein privates Ausbildungsmonopol auf eventuelle Geldhaie wartete. Da wir von der Gründungsgeneration meist selbst an der Universität arbeiteten oder in Institutionen mit sicherem Einkommen steckten, schien uns kurzsichtigerweise diese Gefahr als nicht so relevant.

Inzwischen aber hatte sich die GVT von Brengelmann distanziert (oder umgekehrt) – eine junge Generation mit sozialpolitisch fortschrittlichen Ideen hatte die Führung übernommen. Sozialisten aller Couleurs fingen nun an, den »reaktionären« DBV schlimmster Profitsucht zu verdächtigen. Daß wir DBV-Mitglieder auch daneben noch alle GVT-Mitglieder waren, symbolisierte unsere eigene Zerrissenheit. Wir hatten Mühe, unsere Fronten zu verteidigen und waren zwischen unseren eigenen Gefühlen hin- und hergerissen. Es folgte eine Periode heftiger Diskussionen zwischen den beiden Vorständen. Die GVT warf uns vor allem unser Ausbildungssystem vor und bekrittelte den Mangel an gesundheitspolitischen Vorstellungen. Wir vom DBV ziehen die Gegenseite der Realitätsferne. Hinterher betrachtet finde ich übrigens alle Vorwürfe nicht ganz unberechtigt. Ich persönlich sah mich innerlich immer mehr zur Gegenseite überlaufen – abgesehen davon, daß ich eine immer wieder durchblitzende moralische Erhabenheit auf unsere Kosten manchmal als heuchlerisch empfand. Alles in allem aber wurde mir klar, daß ich mich mit gesundheitspolitischen Problemen zu wenig beschäftigt hatte sowie – auch dies fing nun an, immer wichtiger zu werden –, daß wir mit unserem Glauben an die Lerntheorie wissenschaftstheoretisch naiv gewesen waren.

Merkwürdigerweise geschah in den Treffen zwischen DBV und GVT plötzlich eine seltsame Rollenverteilung: wir »DBV«-ler waren nicht nur gesundheitspolitisch naiv (was stimmte), sondern auch noch »typisch manipulative« Verhaltenstherapeuten. Das ging nun doch zu weit – nun schien sich unter der jungen Kunst der Verhaltenstherapie schon eine Spaltung von »Orthodoxen« und »Neuerern« anzukündigen. (Es war noch vor der Zeit der Kognitiven Verhaltenstherapie.) Ich erinnere mich noch mit großem Vergnügen derjenigen Sitzung, in der diese Verdächtigungen einen Höhepunkt erreichten. Plötzlich brach aus J. Bergold, dem Vertreter der GVT, eines seiner typischen »bayerischen Donnerwetter« heraus: »Fix no amal, jetzt wird's mir aber zu blöd! – Jetzt mach i nimmer mit, das is doch alles nur heuchlerisches Gelabere. Glaubt's ihr wirklich, daß mir a andere Therapie machen wie die vom DBV? Und können ma uns wirklich nimmer an den Beginn erinnern? Wie lang ist's denn schon her, daß ich selbst eine Systematische Desensibilisierung nach der anderen g'macht hab' und du, Peter, warst der sturste ›Operantconditioner‹, den man sich vorstellen kann . . .« Dies entspannte für mich die Lage so sehr, daß ich von da an die eifrigste Vertreterin eines Zusammenschlusses der beiden Verbände wurde. In einem Seminarraum der FU Berlin feierten (bzw. betrauerten) wir einige Zeit später den Untergang des DBV. Wir gründeten die »Deutsche Gesellschaft für Verhaltenstherapie« (DGVT) – ein Verband, der zwar wirklich edle Ziele hat und fern von ausbeuterischen Gesinnungen existiert, der aber zur Ausbildung von Therapeuten recht wenig leistet (wenn man von den Kongressen absieht) –

angesichts der finanziell ungehemmten Psychoboomfunktionä-re ein beklagenswerter Zustand. (Wenn auch, wie ich sehe, die Verhaltenstherapie als Methodensammlung heutzutage in der Bundesrepublik Deutschland fast nicht mehr existiert, so sind doch viele der führenden Vertreter dieser Richtung hervorra-gend gute, vernünftige und flexible Therapeuten geworden – eine systematische Weitergabe ihres Wissens, die natürlich zu zahlen wäre, fehlt sehr.)

Nachdem die Verhaltenstherapie sich mehr und mehr von ihren – angemaßten – wissenschaftlichen Wurzeln löste, war es sehr viel leichter, sich konsistent auch in gesundheitspolitischer Hinsicht zu verhalten. Aufklärung als Gegenpol zur »Kondi-tionierung« war nun nicht mehr unser Problem. Die »Kogniti-ve Verhaltenstherapie« war Sammelbecken für alle gewünsch-ten, auch reflexiven, Elemente der Therapie. Diese sowie ihre theoretische Grundlegung war in sich so inkonsistent, daß man damit übrigens fast jeden Inhalt meinen konnte.

Dies erleichterte auch den Zugang zur Gesprächspsychothe-rapie. Man hatte als Verhaltenstherapeut zwar gegenüber den spekulativen Rogers-Konzepten Vorbehalte: aber gegen die therapeutische Praxis war nicht viel einzuwenden. Zwar konnte die Frage einer gemeinsamen theoretischen Basis sowie das Problem der Indikation bis heute nicht recht gelöst werden – in der Praxis aber erwies sich, daß beide Therapieformen im sel-ben Therapeuten Platz hatten. Eine große Anzahl von Doppel-mitgliedschaften in der DGVT und der »Gesellschaft für wis-senschaftliche Gesprächspsychotherapie« (GwG) bewies dies auch am Papier. Gemeinsame Ziele ergaben sich auch im Ge-spräch mit den Kassen, im Sektor »Psychotherapeutengesetz« sowie in der Erarbeitung gesundheitspolitischer Vorstellungen. Der Zeitgeist stand – im Zeichen der kognitiven Wende – auf Integration.

Der Psychoboom erfaßte nicht nur mich persönlich, sondern auch viele andere Verhaltenstherapeuten. Hatte ich beim Züri-cher Symposium der GwG (»Therapeutische Schulen im Ge-spräch«) noch im engen Kreis konstatiert, daß die GwG-ler sehr viel »menschlicher« und »offener« seien als die stets intel-lektuell-witzelnden und »abwehrenden« Verhaltenstherapeu-ten, so änderte sich dies jetzt von Treffen zu Treffen. Jeder war

144

nun schon einmal in einer »Gruppe« gewesen: unsere Gespräche wurden intimer und persönlicher.

Unter dem Ansturm persönlicher Probleme und Gefühle, die wir in diversen Psychogruppen erlebten, änderte sich auch unsere Einstellung zur Verhaltenstherapie. Da wir an die »Wissenschaftlichkeit« nicht mehr glauben konnten, war der Weg für vieles andere offen. Erzogen in der Tradition einer empirischen Psychologie waren viele von uns aber trotzdem gefeit gegen ein allzu kritikloses »Herumprobieren«. Wir wollten, wenn es möglich war, wissen, was wir jeweils taten und erlebten. Wir versuchten auf alle möglichen Weisen, unsere Vorgehensweisen zu konzeptualisieren. »Problemlösestrategien«, »Selbstinstruktionstherapie«, Handlungstheoretische Ansätze: alle diese Konstrukte waren (und sind) Versuche, in den therapeutischen Prozeß Ordnung zu bringen – ein Versuch, der dem Abschlagen des Hydrahauptes ähnelt: immer wieder ist der Prozeß dann doch wieder anders als gedacht, immer wieder wächst ein neuer »Kopf« nach.

Wenn wir in unserer »Vor-68er«-Jugendzeit, zumindest für meinen eigenen Anspruch, auch unerträglich trocken, spröde und unreflektiert miteinander umgegangen waren – die Psychoboomoffenheit empfand ich doch wiederum auch häufig als eine Art Vergewaltigung. Und wie es (pardon, Feministinnen!) mit Vergewaltigungen häufig zu geschehen pflegt: sie war nicht immer ganz ungewollt, ich war auch aktiv daran beteiligt. Ich glaube, viele Menschen aus der Psychoszene kennen das Gefühl: sich zu verlieren in der suchterzeugenden Geborgenheit der Gruppe, wo augenblicksweise die Illusion entsteht, man wäre nun völlig frei, könne ohne Zwang und Kontrolle miteinander sprechen, könne endlich »echt« sein und werde total akzeptiert. Andererseits aber: auftauchend aus dem Sog, ein Gefühl äußersten Zwanges, ja: Entfremdung, eingebunden in die Scham, man habe sich unerträglich blamiert.

Dieses Gefühl der Entfremdung aber kann zwei Wurzeln haben. Die eine ist die Entfremdung vom sozialen Selbst, wie wir es im Alltag leben. »Mein Gott, wenn mich jetzt meine Arbeitskollegen . . . mein Mann . . . meine Kinder . . . sehen könnten«, ertönt dann oft die innere Stimme. Man weiß gar nicht, ob man dies wünscht oder nicht, weil man nicht mehr recht weiß, ob man hier oder dort »realer« existent ist. Die zweite Wurzel aber reicht tiefer. Es ist die Entfremdung, die man der erlebten eigenen Person angedeihen läßt, indem sie sich, gerade im Bemühen um intensive Selbstfindung, den Selbstfindungserwartungen der anderen doch wiederum anpaßt und sich so im Prozeß der Selbsterkenntnis wieder ganz aus dem Auge verlieren kann. Wie gut, wenn einer dann noch Scham empfindet und sich nicht ganz der lustvollen Täuschung hingibt, er sei nun endlich wirklich ganz »bei sich selbst«.

Da diese äußerste Konzentration auf sich selbst aber ein Ziel ist, das ja doch immer wieder nur annäherungsweise zu erreichen ist, wäre nun wiederum eine puristische Verdammung der dorthin führenden »Schleichwege« in der Psychogruppe eine falsche Art von Hochmut. Denn selbstverständlich wird dort nicht nur geheuchelt; es werden dort oft mit viel gutem Willen alte und neue Techniken gelehrt, die den Weg zur Selbsterkenntnis ebnen können.

Verzerrt wird jenes Geschehen allerdings immer wieder dadurch, daß es nicht nur den wahrhaftigen und verständlichen Bedürfnissen von Menschen entspricht, denen die Gesellschaft zwar Wunden schlägt und Probleme aufgibt, denen sie aber gleichzeitig keine selbstverständlichen Bewältigungsmechanismen anbietet; nein, nicht nur diese Bedürfnisse bestimmen das Angebot. Es sind auch die Bedürfnisse des Marktes, die hier gewinnbringend das Angebot verformen. Dies aber wiederum muß den Abnehmer der Ware »Psychotrost« verwirren, da er oft Mühe hat, Verpackung und Inhalt voneinander zu trennen.

Was aber sagt der Markt?

Ein Produkt muß vor allem erschwinglich sein und auf einigermaßen zahlungskräftige Käufer stoßen: Die neue Mittelschicht aus den Dienstleistungsbetrieben kann sich den Artikel Wochenendgruppe gerade noch leisten.

Eine solche Ausgabe soll sich womöglich lohnen: Auch dies tut sie – zumindest im Falle der psychosozialen Berufe, sofern man durch sie Bausteine zu Ausbildungsdiplomen erwirbt. In anderen Fällen spart man dadurch die »große Psychoanalyse«.

Am schönsten befriedigt aber zeigt sich der Markt, wenn die Konsumtion des Produktes das Bedürfnis danach noch weiter ansteigen läßt, wenn also eine *Sucht* erzeugt wird. Dies aber –

und hier scheint der kritischste und verführerischste Punkt zu liegen – wird versucht durch eine ganz spezielle inhaltliche Ausgestaltung der Psychogruppe, die längst nicht immer dem Wohle des einzelnen dient. – Am kritischsten erscheint mir dabei: das Hinarbeiten auf die »schnellen« emotionalen Durchbrüche unter Vernachlässigung der eigenen Geschichte, die nur mehr als anekdotisches Blitzlicht ihren Platz findet; die Akzentuierung der eigenen emotionalen Evidenz unter Außerachtlassung der Faktoren der Außenwelt; die Unverbindlichkeit der Gruppe, die über ihre Beziehungen redet, sie aber nicht lebt; ein besonderer Nachdruck auf »Opfertheorien« (»Da ist meine verfluchte Sozialisation dran schuld!«), die den Subjektcharakter der Problembewältigung höchstens noch als privaten sehen lernt, die gesellschaftlich vermittelte Bewältigung aber allzu leicht vergessen läßt.

Häufig werden unvermittelt und ohne Bezug zur realen Existenz des einzelnen angeblich notwendige Bewältigungsstrategien gelernt: das Aussprechen der Aggression, die totale Offenheit, das »Neinsagenkönnen«. Wie viele noch tragfähige Ehen sind daran wohl zerbrochen, wie viele Freundschaften kaputtgegangen?

Wenn man in der Mühsal der therapeutischen Kleinarbeit einen Menschen begleitet, sieht man mit Schrecken, wie allzu rasch in der Psychogruppe für die schwierigsten menschlichen Situationen Lösungen geboten werden.

Das angeblich so sinnvolle »Herauslassen der Aggression« z. B.: welche Verwechslung von Reinigung und Bewältigung! Im intimen Rahmen der Therapie müssen Wut und Enttäuschung über diejenigen Personen, die eigenes Empfinden und Wollen frühzeitig oder aktuell unterbunden haben, wohl ihre Entladung finden! Daß diese Wut aber nun gleich wiederum zu Markte getragen und dem anderen als endlich erreichte persönliche Befreiung vor die Füße geschmissen werden soll, hat bisher noch keine ernstzunehmende Therapieschule gefordert. Es blieb einigen Psychomarktgangstern vorbehalten, diese Aggressionsentladung auf ihre Weise zu fordern und zu fördern – womit der Sektenbildung einer Gruppe natürlich Vorschub geleistet wird. Die anderen, »die da draußen«, können mich dann nicht mehr verstehen – also bleibe ich bei der Übermutter

»Gruppe«. Das sorgfältige Abwägen, ob Aggressionen in diesem oder jenem Fall und gerade bei dieser Person berechtigt sind, ob sie sehr stark von Projektionen bestimmt sind, ob sie – selbst wenn sie berechtigt sind – nicht auch wichtige und sinnvolle Beziehungsformen kaputtmachen: diese Überlegungen brauchen Zeit, langsam abtastendes Erleben und sicher nicht nur den allseits akklamierten Wutausbruch in der Gruppe.

Mögen Therapien und Psychoboom aber auch sehr stark von den geschilderten Marktgesetzen abhängen; mögen sie im Einzelfall Unheil stiften und im gesamten die gesellschaftlichen Blößen durch Individualisierung der Leiden verschleiern helfen (»Therapismus«): man darf doch nicht übersehen, daß dieser Psychoboom einzelnen Hilfe bietet, daß er allgemeine Bedürftigkeiten des Menschen in unserer Gesellschaft aufdeckt.

Der Psychoboom erleichtert und erschwert das therapeutische Vorgehen gleichermaßen. Zwar sind Interesse und Motivation vieler Klienten (vor allem derjenigen einer intellektuell interessierten Mittelschicht) für die Therapie recht groß. Es ist allerdings fragwürdig, ob es sich um eine für die Therapie wirklich brauchbare Motivation handelt. Literarische Therapieberichte, Filme und Fernsehsendungen suggerieren aufregende Erkenntnisse und Durchbrüche, völlig neue Sichtweisen und sogar ein hinterher erfülltes und glückliches Leben. Der therapeutische Alltag sieht natürlich anders aus, weshalb die sich einstellende Langeweile viele Therapien sang- und klanglos versanden läßt. Dort dominieren eher emotionale Unsicherheit, Verlegenheit und das Gefühl der eigenen Unbedeutendheit. Die Erwartungen der Klienten gehen also oft in eine falsche Richtung, was viele Therapien erschwert.

Für prospektive Klienten anderer als der Mittelschicht hat allerdings der Therapieboom manchmal ganz erfreuliche Nebeneffekte: auch Arbeiter oder unterprivilegierte Schichten haben oft per Fernsehen vermittelt bekommen, daß eine Therapie nicht ehrenrührig ist und daß man nicht »verrückt« sein muß, wenn man sich einer solchen unterzieht. Ich habe übrigens recht oft die therapeutische Arbeit mit sogenannten »Unterschichtklienten« als etwas sehr Erfreuliches erlebt. Weniger Voreingenommenheit hat oft mehr Vertrauen bewirkt. Das Gefühl, endlich einmal wichtig genommen zu werden, ist für den sozial Unterprivilegierten oft schon ein solch wichtiges Erlebnis, daß sich seine Sicht auf die eigene Person verändert. Ich will damit nicht die mannigfachen, in der Literatur oft beschriebenen Schwierigkeiten in der Therapie bildungsärmerer Menschen leugnen: in ihrer Generalisierung aber scheinen sie mir oft etwas übertrieben.

Manche Beobachter behaupten, daß der Psychoboom – Flucht in die Innerlichkeit als Enttäuschung an den festgefahrenen gesellschaftlichen Verhältnissen – seit einiger Zeit wiederum am Abflauen sei. Im Sinne einer redlichen Neuorientierung in der Psychotherapie hielte ich dies für recht erfreulich. Nicht jedes Problem muß per Therapie gelöst werden; nicht jede Einsamkeit hellt sich im Schutz der »Selbsterfahrungsgruppe« auf. Sollte der Psychoboom jedoch dazu geführt haben, daß weniger Abwehr und Selbstverleugnung unter Menschen üblich wird: dann hätte er doch auch Gutes bewirkt.

Seit einiger Zeit gibt es auch Psychoanalytiker, die sich ernsthaft mit anderen Therapieformen beschäftigen. Dies findet wenig Niederschlag in großen und »offiziellen« Veranstaltungen: so gibt es kaum einen Analytiker, der die von GwG und DGVT organisierten großen Psychotherapiekongresse besucht. (Wie mir ein Analytiker einmal sagte: »Das wird ja doch nur als Laientherapie betrachtet.«) Es gibt aber in Österreich und in der Bundesrepublik einige Analytiker, die in der Zusammenarbeit mit direktiv arbeitenden Therapeuten (meist Verhaltenstherapeuten) erlebt haben, daß hier sehr ernsthaft und professionell gearbeitet wird. Zu meiner großen Freude werden nach und nach von dieser Seite mit Engagement und Sachkundigkeit Gespräche geführt; einige gute Literatur ist erschienen. Ich kann dabei viele Vorteile für beide Seiten sehen. Das große Erfahrungswissen der Psychoanalytiker kann zu beidseitigem Gewinn genutzt werden: die probeweise Entkleidung von einer allzu starren psychoanalytischen Begrifflichkeit macht es für beide Seiten leichter, die Fakten unvoreingenommen zu sehen. Der Hinweis auf den Ablauf der verbalen Interaktion im therapeutischen Prozeß selbst macht nun vorher Unvergleichliches vergleichbar. Die Einsicht in die Konstrukthaftigkeit der Begriffe, mit denen wir den therapeutischen Prozeß begleiten (Abwehr, Regression, Konditionierung etc.), erlaubt es auch den Analytikern, nichtanalytischen Kollegen anders als mit Diffamierung bei der Therapie zuzusehen.

Meine Bewunderung für die Theorien der Psychoanalyse ist sehr viel größer geworden, seit ich Analytiker kenne, die bereit sind, von ihrem »Standardsetting« abzugehen, ohne daß sie dies unbedingt als Verminderung an therapeutischer »Tiefe« ansehen. Daß der eigene Lebenslauf, die eigene Person in der Therapie einer neuen »Interpretation« unterworfen wird, muß nun nicht mehr unbedingt heißen, daß diese Interpretation in psychoanalytischen Konstrukten geschehen und entlang der psychoanalytischen Therapietheorie verlaufen muß: dies macht das Gespräch mit offenen Analytikern für mich sehr interessant. Auch freue ich mich, daß Verhaltenstherapeuten das Wort »unbewußt« nun nicht mehr zu scheuen haben wie der Teufel das Weihwasser. Kein Mensch, der sich intensiv mit seinen Mitmenschen befaßt, kann um dieses Wort und die dahinterstehende Realität herumkommen.

Alles in allem sehe ich für Therapeuten eine wissenschaftlich und praktisch interessante Zeit heraufkommen: die Vorstellung von dem, was »machbar« ist, hat sich für jede Schule erweitert. Einer läßt den anderen nun etwas leichter »zugucken« (dies gilt leider nur in beschränktem Maß für Psychoanalytiker, aber auch dort wittere ich in dieser Beziehung Morgenluft); man kann darangehen, sich gemeinsam mit realen Menschen und ihrer Möglichkeit, sich konstruktiv zu verändern, abzugeben.

Ich hoffe, daß meine Naivität in rechtlich-organisatorischen Fragen meinem Optimismus nicht einen Strich durch die Rechnung machen wird. Sollten Krankenkassen, Sozialämter und andere Institutionen sich immer wieder anmaßen, über die Wertigkeit verschiedener therapeutischer Schulen qua Finanzkraft zu entscheiden: dann allerdings könnte eine neuerliche Abschließung die Folge sein. Noch bin ich aber Optimist.

Ich kann der Psychotherapie mit bestem Willen im gesamten Netz der psychosozialen Versorgung keine Hauptrolle zuschreiben. Sie lindert gesellschaftlich bedingtes Leiden, ohne es letztlich heilen zu können. Wie uns von seiten der Sozialpsychiatrie, der Gemeindepsychologie und ähnlich gelagerter Richtungen immer wieder mit Recht erklärt wird, muß der Klinische Psychologe sich umorientieren. Er muß lernen, »natürliche« Hilfsquellen zu aktivieren und präventiv zu arbeiten. Trotzdem: immer wieder werden Menschen durch ein noch so dicht gespanntes Netz fallen, mit sich selbst nicht zurechtkommen, Symptome entwickeln, sich und andere quälen. Bei manchen von ihnen wird Therapie sinnvoll sein. Ich glaube nach wie vor, daß gute Therapie bei einem »geeigneten« Klienten die beste Lernchance des Erwachsenen bedeutet.

Nachwort

Am Ende meines Weges durch dieses Buch muß ich mich nochmals fragen: was habe ich denn gelernt?

Habe ich etwas gelernt, während ich meinen Berufsweg schreibend überdachte? Habe ich in den vorausgehenden zwanzig Jahren als Therapeutin das gelernt und erfahren, was mich in meiner Jugend so brennend interessiert hat?

War es der richtige Weg, dem Geheimnis, was andere »im Innersten zusammenhält«, näherzukommen?

Natürlich lassen sich auf wirklich wichtige Fragen keine eindeutigen Antworten finden. Wer sich interpretierend mit seinem Gegenstand abgibt, muß Mehrdeutigkeit ertragen lernen. Das aber habe ich in meinem Beruf gelernt.

1957: Promotion in Psychologie, Wien (Professor Rohracher).

1957–1960: Wissenschaftliche Angestellte an der Sozialforschungsstelle Dortmund. Mitwirkung an empirischen Arbeiten, z. B. ›Arbeit und Freizeit‹, ›Tagesschulen‹.

1961–1962: Betriebspsychologin bei der schweizerischen Postverwaltung. Ausarbeitung neuer Eignungstests.

1962–1967: Psychologin bei der »Akademischen Berufsberatung« in Bern. Beratung und Informationsvermittlung.

1967–1972: Psychologin in der Studentenberatungsstelle der Ruhruniversität Bochum; Therapie, Beratung, Prävention. Zeitweise Leiterin der Stelle.

1970/71: Studienaufenthalt in USA, Professor Bergin.

1972–1978: Assistenzprofessorin Freie Universität Berlin. Neben Lehr- und Forschungstätigkeit Therapie in einem Projekt »Unterschichttherapie«.

Seit 1978: Professorin für Klinische Psychologie an der Technischen Universität Berlin. Therapie teils in Projekten, teils in privater Praxis.

Kleines Glossar

Balint-Gruppe
Nach den Vorstellungen von Michael Balint (englischer Arzt und Psychoanalytiker) arbeitende Supervisionsgruppe, die die Therapeut-Klient-Beziehung in den Mittelpunkt stellt.

Baumtest
Standardisierte Aufforderung an den Probanden, einen Baum zu zeichnen (siehe Projektive Tests).

Desensibilisierung, systematische
Verhaltenstherapeutisches Verfahren speziell zur Behandlung von Phobien. In (meist) entspanntem Zustand werden angsterregende Szenen – hierarchisch geordnet – so lange vorgestellt, bis keine Angst mehr auftritt.

Encountergruppe
Gruppentherapeutisches Verfahren, in dem im Sinne der Gesprächspsychotherapie von C. Rogers gearbeitet wird. Im Zentrum der therapeutischen Bemühungen stehen Empathie, Wärme, das Akzeptieren anderer und nicht (wie in anderen Gruppentherapien) deutende oder direktive Verfahren.

Gestalttherapie
Therapeutische Schule, gegründet von F. Perls. Wesentliches Element der Therapie ist die Zentrierung der Wahrnehmung auf die unmittelbare Erfahrung. Ausgehend vom aktuellen Erleben und der Wahrnehmung der eigenen Körpervorgänge hilft der Therapeut dem Patienten, Kontakt zu seinen unerledigten Problemen zu finden.

Gesprächspsychotherapie (GT)
Von C. Rogers gegründete therapeutische Schule, deren Ziel es ist, den Menschen zu befähigen, gemäß seiner natürlichen Bedürfnisse zu leben. Der dahin führende therapeutische Prozeß muß von seiten des Therapeuten vor allem drei Bedingungen genügen: a) uneingeschränktes Akzeptieren, positive Wertschätzung, emotionale Wärme; b) Verbalisierung emotionaler Erlebnisinhalte; c) Echtheit und Selbstkongruenz im Verhalten des Therapeuten.

»Heißer Stuhl« (hot chair)
In der Gestalttherapie entwickelte Methode, sich mit abwesenden wichtigen Personen auseinanderzusetzen, wobei mittels eines leeren Stuhles ein Dialog mit diesen Personen geführt wird. Der Patient kann dabei sowohl sich selbst als auch eine abwesende Person abwechslungsweise darstellen.

Katathymes Bilderleben
Von Leuner entwickelte therapeutische Methode. Ausgehend von vorgegebenen Bildszenen (z. B. »Quelle«) entwickelt der Patient Phantasieszenen. Diese spiegeln angeblich die zentralen Lebensprobleme des Patienten wider, der Therapeut begleitet den Patienten durch Hinweise, Fragen, eventuell auch Deutungen.

Kognitive Verhaltenstherapie (VT)
Anfang der siebziger Jahre entwickelte neue methodische Ansätze innerhalb der VT, die explizit auf die Veränderung von Gedanken und Gefühlen ausgerichtet sind.

Masters- und Johnson-Methoden
Methoden zum Training adäquaten sexuellen Verhaltens.

Neuer Sozialisationstyp (NST)
Von Th. Ziehe erfundener Begriff zur Kennzeichnung vieler angeblich »narzißtisch gestörter« Jugendlicher der heutigen Zeit. Merkmale: Kontaktschwäche bei vielen wechselnden Partnern, geringe Frustrationstoleranz, Konsumdenken, Orientierung im Augenblick, kein Leistungsdenken u. ä. m.

Pavor nocturnus
Nächtliches Aufschreien ohne wach zu werden. Häufige Störung bei Kindern, gelegentlich auch bei Erwachsenen.

Projektive Tests
Im Gegensatz zu Fragebogen und Leistungstests wird bei den projektiven Tests wenig strukturiertes, vieldeutiges Material vorgegeben (z. B. Bilder, Farben), das vom Probanden mit eigenen Inhalten gefüllt (ergänzt) werden soll. Diese Inhalte sagen über die Persönlichkeit des Probanden etwas aus. Die Auswertung der meisten projektiven Tests ist nicht ganz eindeutig und hängt in gewissem Maß von Persönlichkeit und Erfahrung des Auswerters ab.

Rorschachtest
Kleckstafeln, in die hinein Figuren gesehen werden sollen (siehe Projektive Tests).

Wartegttest
Angefangene Zeichnungen, die ergänzt werden müssen (siehe Projektive Tests).

Selbstinstruktionstraining
Therapeutische Methode (entwickelt von D. Meichenbaum) im Rahmen der Kognitiven Verhaltenstherapie. Durch gezieltes Training und Einsatz bestimmter (z. B. angstvermindernder) Sätze wird die Kontrolle des eigenen Verhaltens verbessert.

TZI (Themenzentrierte Interaktion)
Von Ruth Cohn entwickelte, der humanistischen Psychologie verpflichtete pädagogisch-therapeutische Methode zur Verbesserung der Lernfähigkeit. Die Aneignung von Lerninhalten in einer Gruppe wird gekoppelt mit der Reflexion über die im Aneignungsprozeß entstehenden Interaktionsprozesse. Dadurch sollen die von der Interaktion ausgehenden »Störungen« konstruktiv verarbeitet werden, was sowohl dem persönlichen Wachstum als auch dem Lernprozeß zustatten kommt.

Validierung
Bemühung zur Erfassung dessen, was ein Test »wirklich« aussagt oder mißt.

VEE (Verbalisierung emotionaler Erlebnisinhalte; siehe GT)
Von Gesprächspsychotherapeuten zu erlernende Technik, bei der sie sich nicht so sehr um sachliche als um emotionale Gehalte einer Klientenaussage bemühen und diese herausarbeiten.

Verhaltensanalyse
Von F. H. Kanfer entwickelte Methode zur Analyse des problematischen Verhaltens im Rahmen eines funktionalen Bedingungsmodells. Wesentliche Bestandteile der Verhaltensanalyse sind die präzise Herausarbeitung der vorhergehenden Bedingungen des unerwünschten Verhaltens sowie der aufrechterhaltenden Konsequenzen.

Verlaufsdiagnose
Diagnose des Verhaltens und seiner Veränderung während einer Testung (im Gegensatz zur einfachen Auswertung des Endprodukts einer Testaufgabe).

VT (Verhaltenstherapie)
Therapeutischer Ansatz, dessen Bemühung der (beobachtbaren) Veränderung des Verhaltens gilt.

dialog und praxis

Psychologie · Therapie · Lebenshilfe

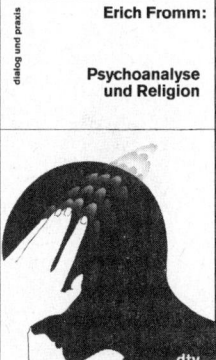

Erich Fromm:
Psychoanalyse und
Ethik
dtv 15003

Erich Fromm:
Psychoanalyse und
Religion
dtv 15006

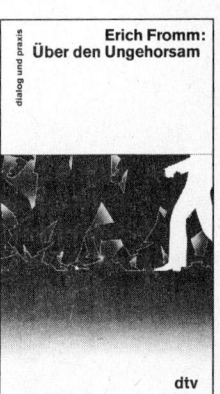

Erich Fromm:
Über den Ungehorsam
dtv 15011

Eva Jaeggi:
Wir Menschenbummler
dtv 15014

Arno Gruen:
Der Verrat am Selbst
dtv 15016

Jerome D. Frank:
Die Heiler
dtv 15001

dialog und praxis

Psychologie · Therapie · Lebenshilfe

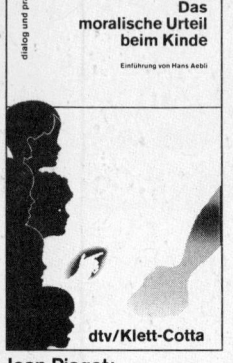

Jean Piaget:
Das moralische Urteil
beim Kinde
dtv 15015

Walter Kempler:
Grundzüge der Gestalt-
Familientherapie
dtv 15008

Elise Freinet:
Erziehung ohne
Zwang
dtv 15005

Katharina Zimmer:
Sie wollten nur mein
Bestes
dtv 15009

Rudolf Dreikurs, Shirley
Gould, Raymond J.
Corsini: Familienrat
dtv 15004

Arnold Lazarus,
Allen Fay:
Ich kann, wenn ich will
dtv 15002